이 책을 쓴 선생님들

이 책은 초등교육과정의 단계별 수준에 맞추기 위하여 학년별 교과과정에 맞는 글을 선정하였습니다. 학년별 교과과정에 따라 6단계로 나눈 것입니다. 1단계에서 6단계로 나아갈수록 지문과 문제의 수준이 차츰차츰 높아집니다. 이런 점에 따라 이 책은 자신의 학년에 맞추어 공부하는 편이 바른 방법이겠지요.그러나 독해력은 개인차가 존재하므로 독해력의 기초를 다진다는 의미로 볼 때 자신의 학년보다 조금 단계를 낮추어 시작하는 것이 효율적일 수 있습니다.

읽기는 종합적인 생각의 과정으로 글의 사실을 이해하고, 이해한 사실에 미루어 새로운 내용을 짐작해보고, 비판도 하면서, 새로운 다른 일에 적용할 줄도 알아야 합니다. 이점에 착안한 4번 미루어알기, 6번 적용하기 유형을 통하여 응용력과 창의력을 키울 수 있습니다.

문항 유형별로 갈래에 따른 출제 유형과 대응 전략을 7가지 독해법과 함께 소개하였으므로, 본격적인 학습에 들어가기 전에 잘 익혀두면 독해력 향상에 크게 도움이 됩니다. 특히 취약유형은 더욱 대응 전략을 잘 숙지하면서 문제를 푸는 습관이 필요합니다.

김갑주 선생님 서울대학교 국어국문학과 졸업, 장훈고등학교 국어교사, 대성학원과 종로학원 강사, 중고등 참고서 다수 집필, 초등 독해력 키움 집필

저는 초등학교에서 15년 가까이 근무하며 국어뿐만 아니라 모든 공부의 바탕에 문해력이 있다는 데에 확신을 가지게 되었습니다. 그런데 학생들이 문해력을 효과적으로 향상시키려면 다음 두 가지가 꼭 필요합니다.

첫째는 독해력입니다. 여러분은 이 교재의 회차별 7가지 문항 유형을 통해 주제찾기(1번유형) 및 글감 찾기(2번유형)부터 사실 이해하기(3번유형), 미루어 알기(4번유형), 세부 내용 찾기(5번유형), 적용하기(6번유형), 요약하기(7번유형)까지 연습할 수 있습니다. 둘째는 어휘력입니다. 회차별 지문뿐 아니라 <어휘 넓히기>, <어휘·어법 총정리>에서 여러분은 많은 낱말을 익히게 됩니다. 또 학년에 따라 맞춤법 및 한자어에 대한 영역까지 두루 살펴볼 수 있습니다.

이 교재를 꾸준히 공부하면 독해력과 어휘력을 함께 체계적으로 신장할 수 있습니다. 하지만 가장 좋은 것은 독서와 이 교재를 병행하는 것이겠지요. 어려움이 있더라도 끈기와 집중력을 발휘하여 최선을 다해 주기를 바랍니다.

김미나 선생님 경인교육대학교 사회과교육과 졸업, 서울대학교 국어교육과 석사 졸업, 초등 사회 교과서 문장 오류 분석, 이스라엘 초등 국어 교과서 한국어 번역 작업, EBS 뉴스의 우리말 순화 활동지 제작 등 다수의 사업 참여, 현재 세종 다빛초등학교 재직 중

구성과 학습 방법

구성에 따른 학습 방법을 알고 공부하면 효과를 높일 수 있습니다.
(표를 보는 순서 ① 주간 시작 → ② 독해 지문 → ③ 7가지 문항 유형 → ④ 어휘 학습 → ⑤ 주간 총정리)

② 독해 지문

과학 | 설명문

01

생각 열기

…기부터 순종적인 여성상을 요구하는 사회적 분위기 때문에 여성들이 … 고려시대 여성은 적극적이고 주체적이었다고 해요. 놀이 문화를 통해서도 고려시대 여성들 … 활발하고, 활동이 크다는 것을 엿볼 수 있죠.

점수 계산

1. 10점 2. 15점 3. 15점 4. 15점 5. 15점 6. 15점 7. 15점

(가) 널뛰기의 … 여는 살펴볼 수 있는 자료가 없고, 다만 고려 시대부터 이어져 내려왔을 것으로 짐작되고 있을 뿐입니다. 고려 시대 여성들은 말타기 · 격구(擊毬)[⊛] 같은 활달한 운동을 하였다는 기록이 있어, 널뛰기 역시 놀이의 성격으로 보아 당시의 여성들이 즐겼을 것으로 짐작되고 있습니다.

(나) 널뛰기를 할 때 필요한 준비물은 두꺼운 판자와 판자에 괼 가마니나 짚[⊛] 뭉치입니다. 이때, 판자는 튼튼한 것이어야 하며 가마니는 너무 높거나 낮지 않아야 합니다.

(다) 먼저, 두 편으로 나눠 각각 널을 뛸 순서를 정합니다. 그다음에 첫 번째로 널을 뛰는 사람이 널의 양 끝에 서고, 널이 앞이나 뒤로 움직이지 않도록 가마니를 괸 곳에 한 사람이 앉습니다.

(라) 첫 번째 순서인 사람들이 판자의 양 끝에 서서 한 번씩 번갈아 가며 널을 뜁니다. 널을 뛰는 사람은 상대방이 높이 올랐다가 널에 발이 닿으면 바로 위로 뛰어야 합니다. 이때, 박자를 놓쳐서 늦게 뛰거나 상대방의 발이 널에 닿기도 전에 뛰면 뛸 자격을 잃게 됩니다. 또 균형을 잡지 못해서 널 밖으로 떨어져도 자격을 잃습니다. 뛸 자격을 잃은 편은 다른 사람이 널을 뜁니다.

(마) 이런 방법으로 널을 뛰어 상대편을 모두 떨어뜨리는 쪽이 이깁니다. 널뛰기에서 이기기 위해서는 널을 뛰는 ㉠□□를 잘 맞추어서 ㉡□□을 잡고 뛰어야 합니다.

낱말 풀이

…격구 예전에 젊은 무관이나 민간의 상류층 청년들이 말을 타거나 걸어 다니면서 공채로 공을 치던 무예.
…짚 벼, 보리, 조 등의 이삭을 떨어낸 줄기

10 독해력 키움 3단계

'생각 열기' 는 아래에서 읽어야 할 글(본문)에 대한 실마리를 담고 있어요.

문항별 점수에 따라 나의 점수를 계산해 봅니다.

본문에서는 국어 교과서의 글은 물론, 사회, 과학, 국악 등에서 학년단계에 맞는 글들을 선별하고, 통합교과적 소재에 대한 독해 능력을 올리는데 알맞은 글들을 최종적으로 엄선하여 수록했습니다.

본문에 나온 어려운 말에 어깨번호를 붙이고 그 말에 대해 자세히 설명해 둔 것이에요.

단계별 교과 과정에 맞추어 모든 교과서에서 통합 교과적인 글감을 선별하고 이것을 다시 인문, 사회, 과학, 산문문학, 운문문학으로 체계화하며 수록하였습니다.

'생각 열기'를 통하여 어떤 내용이 실려 있는지 대강 알고 읽으면 본문을 쉽게 파악할 수 있어요.

본문으로 실은 글의 종류가 무엇인지는 중요하지 않습니다. 다만 통합교과적인 글들을 읽는 훈련을 통하여 인문, 사회, 과학, 문학 등의 여러 종류의 글을 읽으면서 체계적인 독해능력을 기르도록해요.

본문을 읽으면서 어깨번호가 붙은 말이 있으면 본문의 아래에 있는 설명을 보아 도움을 받도록 해요.

③ 7가지 문항유형

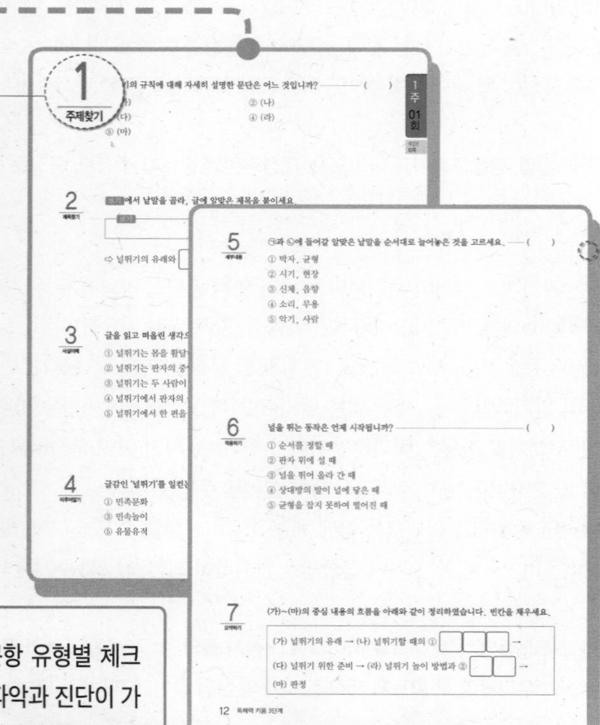

'대학수학능력시험', 'SSAT(미국 중등학교 입학시험)' 등의 평가 유형을 참고하여 초등과정에서 효과적인 독해력 향상을 위한 독창적이고 체계적인 7가지 독해 비법을 유형으로 개발하였습니다.

7가지 유형의 지정 문항을 매회 1개씩 배치하여 각 유형마다 40문항씩 익히게 됨으로써 체계적 독해력 향상이 가능합니다.

피드백효과

평가와 진단하기에 문항 유형별 체크를 하여 유형별 실력 파악과 진단이 가능하며, 글감별로도 진단이 한눈에 보이게 됩니다.

7가지 독해력 측정을 위해 [주제찾기(1번), 글감이나 제목 찾기(2번), 사실 이해(3번), 미루어 알기(4번), 세부내용 파악(5번), 적용하기(6번), 요약하기(7번)]를 지정문항으로 반복함으로 유형별로 효과적인 해결능력을 올리도록 했습니다. 또한 모든 단계가 끝나는 자리(이 책의 끝)에 있는 평가 진단표를 작성하도록 하여 취약 유형을 파악하고 보완하도록 하였습니다.

4 어휘 학습

낱말의 뜻을 알고, 부려서 쓸 줄 아는 힘은 읽기를 잘하기 위해서 바탕이 되는 힘이에요.

위에서 뜻을 알아본 낱말을 문장에서 부려 쓸 줄 아는지 평가해 보려고 해요.

해당 단계에서 알아야 할 맞춤법을 익혀서 독해력의 기본기를 다져요.

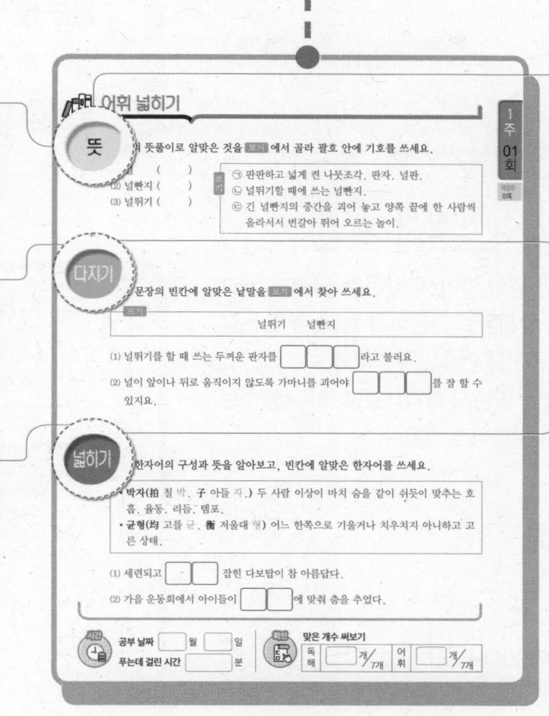

왼쪽의 낱말을 보고 오른쪽의 어느 것이 그 뜻일지 서로 견주어 보면 어렵지 않게 맞추어 갈 수 있어요.

빈칸의 앞과 뒤에 놓여 있는 말을 잘 살펴 가면서 알맞은 말을 고르면 되어요.

괄호 속에 적혀 있는 한자 한 글자씩 그 뜻을 살펴보고, 오른쪽의 풀이를 새겨봅니다. 한자의 뜻에 맞도록 빈칸을 채워보세요. (여기에 나오는 한자어는 본문에 수록된 한자어를 기반으로 다루고 있습니다.)

1 주간 시작

해당 학년의 진도에 맞게 국어, 사회, 과학, 국활 등의 교과서의 통합교과적인 글감들을 5개 영역으로 나누어 글의 종류에 따라 체계적으로 이해하도록 꾸몄습니다.

한 주 동안 공부한 글에 나온 중요 어휘를 테스트합니다.

독서보단 채팅이 많은 요즘, 맞춤법을 틀리는 일들이 많아집니다. 맞춤법이 헷갈리는 어휘들을 본문에서 뽑아 테스트로 만들었습니다.

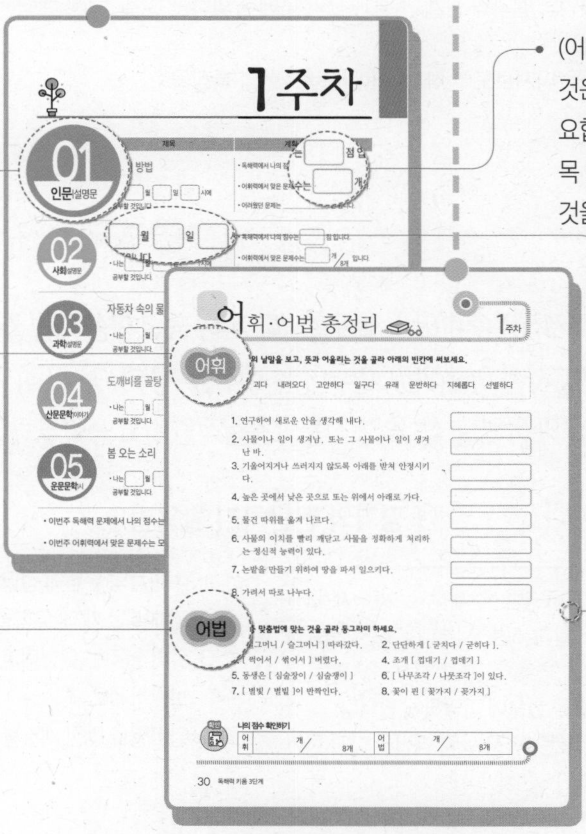

5 주간 총정리

(어려웠던 문제)의 번호를 적어둡니다. 이것은 나중에 나의 약한 유형 진단에 꼭 필요합니다. 예를 들어 2번이 어려우면 [제목 찾기 유형]이 약하다는 의미이므로 이것을 보완해야 되겠지요.

제목 밑에는 한 주 동안 학습할 계획을 적어보도록 하여 계획성 있는 학습을 습관화 하도록 하였습니다.

어휘 복습을 하면서 글 속에서 무심코 지나친 낱말들을 다시 익히면서 단어의 뜻과 활용이 익숙해지도록 합니다.

7가지 유형 독해 방법

7가지 유형으로 학습한 후, 책 뒷면에 있는 평가와 진단하기에 문항별로 체크를 하여보면 자신의 실력과 부족한 부분을 자가 진단할 수 있습니다.

주제찾기 유형(1번)

글 전체의 중심 내용 찾기 문항

설명하는 글에서는 '이처럼', '이와 같이', '요컨대' 등의 말이, **주장하는 글**에서는 '그러므로', '따라서' 등의 말이 문장의 앞에 놓이면 주제문일 가능성이 높다. 주제 문장이 보이지 않으면 마지막 문단을 요약하여 주제 문장을 만들어야 한다.
이야기는 인물, 사건, 배경 중 무엇이 중심에 놓여 있는지 파악해보고, **시**는 말하는 사람이 어떤 느낌이나 생각에 사로잡혀 있는지 파악하여 정리한다.

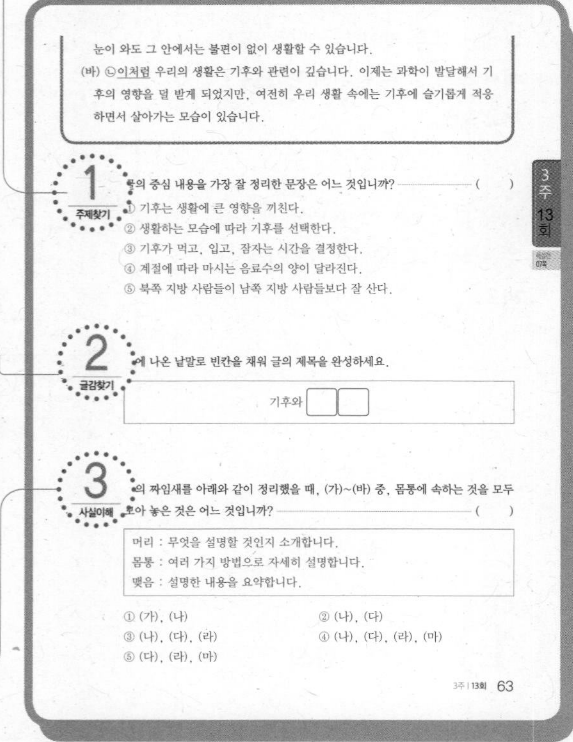

글감(제목)찾기 유형(2번)

글에서 반복하여 나타난 말이나, 글의 대상이 된 것

설명하는 글과 **주장하는 글**에서는 여러 번 반복하여 나타난 글의 중심 낱말을 찾아내는 것이 가장 중요하고, 이야기에서는 인물, 사건, 배경 중 무엇에 초점을 두었는지를 확인한다. **시**는 작품을 음미해본 다음, 무엇을 대상으로 하여 내용을 이루었는지 따져본다.

사실이해 유형(3번)

글에 나타난 사실을 있는 그대로 이해했는지 확인

설명하는 글과 **주장하는 글**에서는 원인과 결과의 관계, 주장과 근거 등에 유의하면서 글에 나타난 사실을 이해했는지 확인한다.
이야기에서는 사건이 글에 나타난 것을 따져보도록 하고, **시**에서는 표현의 특징을 중심으로 사실을 이해한다.

국어 능력 향상은 체계적인 훈련이 꼭 필요합니다. 국어 능력 향상 비법 7가지[주제 찾기(1번), 글감이나 제목 찾기(2번), 사실 이해(3번), 미루어 알기(4번), 세부내용 파악(5번), 적용하기(6번), 요약하기(7번)]를 통해 글의 이해, 분석, 추리, 적용의 종합적인 사고 능력을 체계적으로 키우세요.

[평가와 진단하기 활용법]

※ 이 책의 모든 문항과 유형은 동일 번호로(1번→주제찾기, 2번→제목(글감)찾기, 3번→사실이해, 4번→미루어 알기, 5번→세부내용 6번→적용하기, 7번→요약하기) 통일되어 있습니다.
※ 이 표는 자신의 취약 영역과 취약 유형을 한눈에 파악하게 합니다.
(자주 틀리거나 취약하다고 생각하는 유형은 7가지 독해 방법을 다시 한번 숙지하고 다음 단계로 넘어가길 바랍니다.)

1. 각 회차의 유형에 정답을 맞혔으면 'O'표를 틀렸으면 'x'표를 하세요.
2. 제재별 '소계'에 유형별로 맞은('O'표) 개수를 쓰세요.
3. 많이 틀리는 유형이 한눈에 보이므로 자신의 부족한 부분을 진단하고 보완하세요.
4. 영역별로 맞힌 개수를 적고, 부족한 부분을 파악해 보세요.

“ *글을 읽고 문제를 풀 때는, 가장 먼저 ‘사실이해 유형(3번)’을 유념해 보아 두어야 합니다. 글 읽기는 주어진 글의 사실 이해로부터 출발해야 하기 때문입이다.* ”

4 미루어알기

(가)~(다)에서 중심 문장의 내용을 뒷받침하는 방법은 무엇입니까? ······ (　　)

① 예를 들기
② 까닭을 말하기
③ 차이점으로 견주기
④ 같은 부류로 묶어가기
⑤ 비슷한 것들을 서로 견주기

5 세부내용

의 구실을 알맞게 설명한 것은 어느 것입니까? ············ (　　)

① 둘을 비교하도록 한다.
② 뒷받침문장을 놓도록 한다.
③ 앞의 내용을 요약하도록 한다.
④ 앞과 같은 내용을 반복하도록 한다.
⑤ 앞과 비슷한 말을 하겠다는 약속이다.

6 적용하기

과 같은 뜻이 되도록 아래의 빈칸을 채우세요.

상대적으로 기온이 ① □□ 지방에 비하여 ② □□ 지방의 음식이 조금 더 짠 것

7 요약하기

빈칸에 알맞은 낱말을 글에서 찾아 글 전체의 내용을 요약해 보세요.

기후는 우리의 ① □, ② □□, ③ □과 같은 생활의 모든 방면에 큰 영향을 끼친다.

64 독해력 키움 3단계

미루어 알기(추론) 유형(4번)

글에 나타난 사실에 미루어 짐작해 본 내용

설명하는 글과 **주장하는 글**에서는 선택지에 나타난 내용이, 글의 어떤 내용으로부터 이끌어낸 생각인지 찾아보고, **이야기**에서는 인물의 말이나 행동, 사건의 진행 과정 등을 파악하면서 추리해보며, **시**에서는 고백하는 말 뒤에 숨겨진 느낌이나 생각을 떠올려본다.

세부내용 유형(5번)

글의 모양, 어휘의 뜻, 어법, 글과 관련된 배경 지식 등

설명하는 글과 **주장하는 글**에서는 낱말의 뜻, 접속하는 말의 구실, 고사성어 등을 알아두고, **이야기**는 글을 읽으면서 배경을 알려주는 말이 나오면 어떤 시간이나 장소인지 정리하며, **시**는 비유나 상징에 숨어 있는 뜻을 새길 수 있어야 한다.

적용하기 유형(6번)

글의 내용을 바탕으로 새로운 생각을 떠올려보거나, 다른 일에 응용할 수 있는 능력

설명하는 글과 **주장하는 글**에서는 글을 읽어서 알게 된 내용을 다른 일에 적용할 수 있는지 알아보는 문항이 출제되고 **이야기**는 글에 나타난 대로 새로운 인물이나 사건, 배경을 그려 보일 수 있는지 묻는다. **시**는 말하는 사람의 느낌이나 생각을 정확히 이해 하는지 묻는다.

요약하기 유형(7번)

글의 전체 또는 주요 내용을 간추리는 능력

설명하는 글과 **주장하는 글**에서는 중심 내용을 간추릴 수 있는지 측정하려는 문항이다. **이야기**는 ‘사실이해 3’처럼 주요한 사건을 다시 확인하는 유형이 출제되기가 쉽다. 이유형은 **시**에서는 내용 흐름에 따라 중심 내용을 정리한다.

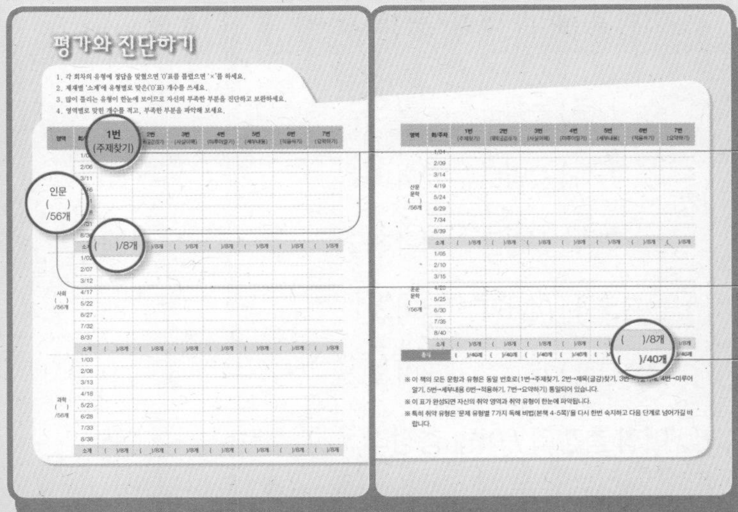

유형별로 한눈에 실력을 파악할 수 있게 하였습니다.
예 인문제재에서 주제찾기 유형(1번)은 8문항 중 몇 개를 맞고 틀렸는지 한 눈에 파악이 됩니다.

글의 갈래를 표시했습니다. 인문, 사회, 과학, 이야기, 시의 5개 영역의 정답률을 표 하나에 알 수 있어 자신의 취약 글의 갈래가 어떤 것인지 한 눈에 알 수 있습니다.
예 인문제재 56문항 중 몇 개를 틀렸는지 한 눈에 파악이 되어 자신의 부족한 점을 보충할 수 있습니다.

모든 글에서 자신의 부족한 유형이 무엇인지 한 눈에 파악할 수 있습니다.
예 적용하기 유형(6번)에서 총 40문항 중 정답은 몇 개고 오답은 몇 개인지를 알아서 독해 실력을 자가 진단합니다.

3단계

목차

『독해력키움』은,

본문이든 그 아래의 문항이든 아이들이 스스로의 힘으로 이해할 수 있도록 꾸몄습니다. 되도록 간섭은 줄이고, 부모님이나 선생님, 그 밖의 다른 분들께서 아이를 도와주실 때는 다음에 유의하십시오.

01

글이나 문제에서 뜻을 모르는 낱말이 있다고 할 때는, 그 낱말의 앞이나 뒤에 놓인 다른 말과 연결하여 미루어 뜻을 떠올려 볼 수 있도록 힘을 키워주십시오. 섣불리 사전을 찾도록 한다거나 글 전체, 문제 전부를 풀이해주었다가는 의존하는 버릇만 들이게 할 것입니다.

02

회가 끝날 때마다 붙어있는 문항 풀이의 결과를 자주 확인하여, 아이의 약점을 파악하고 자주 틀리거나 이해가 부족한 문항 유형을 중심으로, 그 문항 유형의 어려움을 극복하기 위해서 무엇을 고치고 보완해야 하는지 깨닫게 해주십시오. 고칠 점, 보완해야 할 점은『독해력키움』의 해설을 보면 잘 나와 있습니다.

03

주관식 문제의 채점 기준을 예시해두겠습니다.

한 낱말이나 빈칸이 정해진 하나의 구절로 답하는 문제에서는 모범 답안과 모양과 내용이 일치하는 답안만 만점으로 합니다. 모양은 다르지만 빈칸의 수가 같고 내용이 비슷한 답안은 비슷한 정도에 따라 점수를 낮추어 채점합니다.

여러 개의 낱말로 답하는 문제에서는 배점에 문항 수를 나누어 정답에 비례하여 채점합니다.

하나의 구절이나 문장으로 답하는 문제에서는 미리 주어진 조건을 고려하여 모범 답안의 내용과 일치하는 정도에 따라 점수를 주어야 할 것입니다. 그 기준은 도와주는 사람이 정해야 합니다.

1주차

회차 / 영역	제목	계획 및 점검
01 인문|설명문	넓뛰기 방법 • 나는 ☐ 월 ☐ 일 ☐ 시에 공부할 것입니다.	• 독해력에서 나의 점수는 ☐ 점입니다. • 어휘력에서 맞은 문제수는 ☐ 개/7개 입니다. • 어려웠던 문제는 ______ 번입니다.
02 사회|설명문	옛날 사람들의 지도 • 나는 ☐ 월 ☐ 일 ☐ 시에 공부할 것입니다.	• 독해력에서 나의 점수는 ☐ 점입니다. • 어휘력에서 맞은 문제수는 ☐ 개/10개 입니다. • 어려웠던 문제는 ______ 번입니다.
03 과학|설명문	자동차 속의 물질 • 나는 ☐ 월 ☐ 일 ☐ 시에 공부할 것입니다.	• 독해력에서 나의 점수는 ☐ 점입니다. • 어휘력에서 맞은 문제수는 ☐ 개/9개 입니다. • 어려웠던 문제는 ______ 번입니다.
04 산문문학|이야기	도깨비를 골탕 먹인 농부 • 나는 ☐ 월 ☐ 일 ☐ 시에 공부할 것입니다.	• 독해력에서 나의 점수는 ☐ 점입니다. • 어휘력에서 맞은 문제수는 ☐ 개/6개 입니다. • 어려웠던 문제는 ______ 번입니다.
05 운문문학|시	봄 오는 소리 • 나는 ☐ 월 ☐ 일 ☐ 시에 공부할 것입니다.	• 독해력에서 나의 점수는 ☐ 점입니다. • 어휘력에서 맞은 문제수는 ☐ 개/8개 입니다. • 어려웠던 문제는 ______ 번입니다.

• 이번 주 독해력 문제에서 나의 점수는 평균 ☐ 점입니다.

• 이번 주 어휘력에서 맞은 문제수는 모두 ☐ 개입니다.

01

조선 중기부터 순종적인 여성상을 요구하는 사회적 분위기 때문에 여성들이 수동적이었던 것에 비해 고려시대 여성은 적극적이고 주체적이었다고 해요. 놀이 문화를 통해서도 고려시대 여성들이 활발하고, 활동이 크다는 것을 엿볼 수 있죠.

1. 10점 2. 15점 3. 15점 4. 15점 5. 15점 6. 15점 7. 15점

(가) 널뛰기의 유래에 대하여는 살펴볼 수 있는 자료가 없고, 다만 고려 시대부터 이어져 내려왔을 것으로 짐작되고 있을 뿐입니다. 고려 시대 여성들은 말타기 · 격구(擊毬)[1] 같은 활달한 운동을 하였다는 기록이 있어, 널뛰기 역시 놀이의 성격으로 보아 당시의 여성들이 즐겼을 것으로 짐작되고 있습니다.

(나) 널뛰기를 할 때 필요한 준비물은 두꺼운 판자와 판자에 괼 가마니나 짚[2] 뭉치입니다. 이때, 판자는 튼튼한 것이어야 하며 가마니는 너무 높거나 낮지 않아야 합니다.

(다) 먼저, 두 편으로 나눠 각각 널을 뛸 순서를 정합니다. 그다음에 첫 번째로 널을 뛰는 사람이 널의 양 끝에 서고, 널이 앞이나 뒤로 움직이지 않도록 가마니를 괸 곳에 한 사람이 앉습니다.

(라) 첫 번째 순서인 사람들이 판자의 양 끝에 서서 한 번씩 번갈아 가며 널을 뜁니다. 널을 뛰는 사람은 상대방이 높이 올랐다가 널에 발이 닿으면 바로 위로 뛰어야 합니다. 이때, 박자를 놓쳐서 늦게 뛰거나 상대방의 발이 널에 닿기도 전에 뛰면 뛸 자격을 잃게 됩니다. 또 균형을 잡지 못해서 널 밖으로 떨어져도 자격을 잃습니다. 뛸 자격을 잃은 편은 다른 사람이 널을 뜁니다.

(마) 이런 방법으로 널을 뛰어 상대편을 모두 떨어뜨리는 쪽이 이깁니다. 널뛰기에서 이기기 위해서는 널을 뛰는 ㉠□□를 잘 맞추어서 ㉡□□을 잡고 뛰어야 합니다.

❶ 격구 예전에, 젊은 무관이나 민간의 상류층 청년들이 말을 타거나 걸어 다니면서 공채로 공을 치던 무예.
❷ 짚 벼, 보리, 조 등의 이삭을 떨어낸 줄기

1주 01회

해설편 01쪽

1 주제찾기

널뛰기의 규칙에 대해 자세히 설명한 문단은 어느 것입니까? ( )

① (가) ② (나)
③ (다) ④ (라)
⑤ (마)

2 제목찾기

보기 에서 낱말을 골라, 글에 알맞은 제목을 붙이세요.

보기

기록 규칙 기준 자격

⇨ 널뛰기의 유래와 [ ][ ]

3 사실이해

글을 읽고 떠올린 생각으로 알맞지 않은 것은 어느 것입니까? ( )

① 널뛰기는 몸을 활달하게 움직이는 운동이다.
② 널뛰기는 판자의 중앙을 괴고 하는 운동이다.
③ 널뛰기는 두 사람이 마주 보고 번갈아 가며 뛴다.
④ 널뛰기에서 판자의 중앙에 앉은 사람이 심판이다.
⑤ 널뛰기에서 한 편을 이루는 사람의 수는 모두 같다.

4 미루어알기

심판을 포함하여 널뛰기에 참여하는 사람의 수는 최소 몇입니까? ( )

① 1명 ② 2명
③ 3명 ④ 4명
⑤ 5명

5

세부내용

㉠과 ㉡에 들어갈 알맞은 낱말을 순서대로 늘어놓은 것을 고르세요. ( )

① 박자, 균형
② 시기, 현장
③ 신체, 음향
④ 소리, 무용
⑤ 악기, 사람

6

적용하기

널을 뛰는 동작은 언제 시작됩니까? ( )

① 순서를 정할 때
② 판자 위에 설 때
③ 널을 뛰어 올라 간 때
④ 상대방의 발이 널에 닿은 때
⑤ 균형을 잡지 못하여 떨어진 때

7

요약하기

(가)~(마)의 중심 내용의 흐름을 아래와 같이 정리하였습니다. 빈칸을 채우세요.

(가) 널뛰기의 유래 → (나) 널뛰기할 때의 ① □□□ →
(다) 널뛰기 위한 준비 → (라) 널뛰기 놀이 방법과 ② □□ →
(마) 판정

해설편 01쪽

어휘 넓히기

뜻

낱말의 뜻풀이로 알맞은 것을 보기 에서 골라 괄호 안에 기호를 쓰세요.

(1) 널 (   )
(2) 널빤지 (   )
(3) 널뛰기 (   )

보기
㉠ 판판하고 넓게 켠 나뭇조각. 판자. 널판.
㉡ 널뛰기할 때에 쓰는 널빤지.
㉢ 긴 널빤지의 중간을 괴어 놓고 양쪽 끝에 한 사람씩 올라서서 번갈아 뛰어 오르는 놀이.

다지기

아래 문장의 빈칸에 알맞은 낱말을 보기 에서 찾아 쓰세요.

보기
널뛰기 널빤지

(1) 널뛰기를 할 때 쓰는 두꺼운 판자를 [   ][   ][   ]라고 불러요.

(2) 널이 앞이나 뒤로 움직이지 않도록 가마니를 괴어야 [   ][   ][   ]를 잘 할 수 있지요.

넓히기

다음 한자어의 구성과 뜻을 알아보고, 빈칸에 알맞은 한자어를 쓰세요.

- **박자(拍** 칠 박. **子** 아들 자.) 두 사람 이상이 마치 숨을 같이 쉬듯이 맞추는 호흡. 율동. 리듬. 템포.
- **균형(均** 고를 균. **衡** 저울대 형) 어느 한쪽으로 기울거나 치우치지 아니하고 고른 상태.

(1) 세련되고 [   ][   ] 잡힌 다보탑이 참 아름답다.

(2) 가을 운동회에서 아이들이 [   ][   ]에 맞춰 춤을 추었다.

시간

공부 날짜 [   ]월 [   ]일

푸는데 걸린 시간 [   ]분

확인

맞은 개수 써보기

독해	개/7개	어휘	개/7개

02

생각 열기

지도는 먼 옛날 사냥을 하고 돌아오는 길을 잃어버리지 않기 위해, 그리고 먹을 음식을 저장해 둔 곳을 잊지 않기 위해 그리기 시작했대요. 지금은 종이에 인쇄된 지도가 익숙하지만, 종이가 없던 옛날에는 점토판, 비단 위에다 그리기도 했어요. 또 태평양의 폴리네시아의 섬사람들은 오래전에 갈대를 이용하여 지도를 만들었대요.

점수 계산 1. 15점 2. 10점 3. 15점 4. 15점 5. 15점 6. 15점 7. 15점

㉠아주 먼 옛날 사람들은 땅, 돌, 나무에 지도를 그렸습니다. 그러나 이러한 지도는 시간이 지나면 지워지거나 썩어서 알아볼 수 없었고, 무거워서 가지고 다니기도 불편하였습니다. 그래서 특별한 재료를 고안해보아야 했는데 이렇게 만든 지도가 점토판 지도입니다. 점토판❶ 지도❷는 진흙으로 만든 점토판에 나뭇가지로 지도를 그린 후에 햇볕에 말려 아주 단단하게 굳힌 것으로, 오랜 시간이 지나도 변하지 않았습니다.

지금까지 잘 보존된 세계 지도 가운데 가장 오래된 것은 바빌로니아의 점토판 지도입니다. 바빌로니아는 지금의 이라크 북쪽에 있었던 나라인데, 이 지도는 글자가 만들어지기 이전의 것으로, 그림에 가까운 모습을 보여 주고 있습니다.

이 밖에도 옛날 사람들은 나무줄기에 조개껍데기와 산호조각을 붙이거나, 동물의 가죽에 나뭇조각을 붙여 지도를 만들기도 하였습니다.

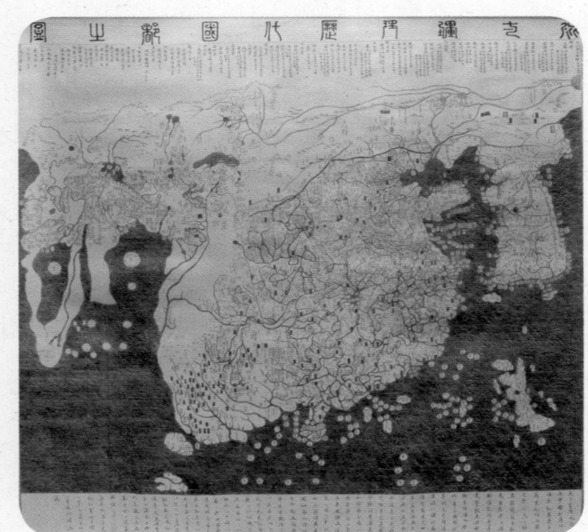

〈혼일강리역대국지도〉
현전하는 동양 최고(가장 오래된)의 세계지도(1402년, 조선, 김사형/이무/이회가 만듦)

낱말 풀이

❶ 점토판 점토로 구운 판 ❷ 지도 그림으로 나타낸 모형

1
주제찾기

글의 중심 내용은 무엇인가요? ( )

① 점토판 지도
② 지워진 지도
③ 무거운 지도
④ 나무줄기 지도
⑤ 동물의 가죽 지도

2
글감찾기

글감이 잘 드러나도록 빈칸에 알맞은 낱말을 쓰세요.

옛날 사람들이 그린 □□

3
사실이해

'점토판 지도'에 대한 설명 중, 알맞은 것은 무엇인가요? ( )

① 시간이 지나면 지워진다.
② 썩어서 알아보기 어렵게 된다.
③ 오랜 시간이 지나면 모양이 변한다.
④ 그림에 가까운 모습을 보여 주고 있다.
⑤ 글자가 만들어진 뒤에도 만들어지고 있다.

4
미루어알기

㉠과 비슷한 뜻이 되도록, 빈칸에 알맞은 낱말을 글에서 찾아 쓰세요.

□□가 만들어지기 이전

5 세부내용

글의 내용에 따르면, 점토판 지도가 만들어진 나라는 어디입니까? ( )

① 인도
② 중국
③ 스페인
④ 러시아
⑤ 바빌로니아

6 적용하기

이 글에서 설명한 지도보다 자세하고 정확한 지도가 만들어지기 위해서 가장 필요한 것은 무엇입니까? ( )

① 그림
② 글자
③ 진흙
④ 나무
⑤ 종이

7 요약하기

주요 내용을 다음과 같이 정리하였을 때, 빈칸에 알맞은 말을 글에서 찾아 쓰세요.

> 땅, 돌, 나무 등에 그린 지도는 여러 가지 단점이 있어서 이를 대신하여 점토판 지도가 만들어졌고, 이외에도 ① □□□□에 조개껍데기와 산호조각을 붙인 지도, ② □□□ □□에 나뭇조각을 붙인 지도가 나타났다.

어휘 넓히기

해설편 01쪽

뜻

낱말의 뜻풀이로 알맞은 것을 보기 에서 골라 괄호 안에 기호를 쓰세요.

(1) 그리다 (　　)
(2) 지우다 (　　)
(3) 무겁다 (　　)
(4) 가볍다 (　　)

보기
㉠ 그림, 흔적 따위를 지우개나 천 따위로 없애다.
㉡ 무게가 나가는 정도가 크다.
㉢ 연필, 붓 따위로 어떤 사물의 모양을 그와 닮게 선이나 색으로 나타내다.
㉣ 무게가 일반적이거나 기준이 되는 대상의 것보다 적다.

다지기

보기 에서 알맞은 낱말을 찾아 다음 글의 빈칸을 채우세요.

보기
그렸다　지웠다　무겁다　가볍다

(1) 돌은 물에 던졌을 때 가라앉으므로 돌은 ① □□□.
깃털은 물에 둥둥 떠 있는 것으로 보아 ② □□□.

(2) 빈 종이에 눈 앞에 펼쳐진 풍경을 ① □□□.
그림이 마음에 들지 않아 지우개로 ② □□□.

넓히기

다음 한자어의 구성과 뜻을 알아보고, 빈칸에 알맞은 한자어를 쓰세요.

- **지도(地** 땅 지. **圖** 그림 도.) 지구 표면의 상태를 일정한 비율로 줄여, 이를 약속된 기호로 평면에 나타낸 그림.
- **재료(材** 바탕 재. **料** 헤아릴 료.) 물건을 만드는 데 들어가는 바탕이 되는 원료.

(1) 땅의 생김새, 도시나 마을의 이름과 위치 등을 그리고 써놓은 것을 □□라고 한다.

(2) 어떤 물건을 만들기 위해서는 먼저 그것을 만드는 데 필요한 □□를 구해야 한다.

시간
공부 날짜 □ 월 □ 일
푸는데 걸린 시간 □ 분

확인
맞은 개수 써보기

독해	개/7개	어휘	개/10개

03

나무처럼 모양이 있어서 볼 수 있고, 손으로 잡을 수 있는 것을 '고체'라고 해요. 물처럼 눈에는 보이지만 모양이 일정하지 않아서 손에 잘 잡히지 않는 것을 '액체'라고 해요. 공기처럼 눈에 보이지 않고, 모양이 일정하지 않아서 손으로 잡히지도 않는 물질을 '기체'라고 해요.

1. 10점 2. 15점 3. 15점 4. 15점 5. 15점 6. 15점 7. 15점

사람이나 짐을 ㉠운반하는 자동차는 다양한 상태의 물질로 만들어졌습니다. 자갈처럼 모양이 변하지 않는 물질의 상태를 고체라 합니다. 고체는 딱딱하다, 무겁다, 부드럽다 등으로 그 상태를 표현합니다. 물처럼 모양이 일정하지 않지만, 눈에 보이는 물질의 상태를 액체라 합니다. 공기처럼 모양이 일정하지 않으며 눈에 보이지 않는 물질의 상태를 기체라 합니다. 자동차에 있는 고체, 액체, 기체에 대하여 알아봅시다.

자동차에 사용되는 고체; 자동차의 몸체와 내부의 부품들은 대부분 고체입니다. 자동차의 몸체를 이루는 물질은 철입니다. 바퀴는 고무로 만든 타이어와 알루미늄으로 만든 휠로 이루어져 있습니다.

자동차에 사용되는 액체; 자동차에는 여러 가지 액체도 사용됩니다. 자동차를 움직이기 위해서는 연료가 필요한데, 이때 액체인 휘발유나 경유를 사용합니다. 또 자동차의 부품이 닳는 것을 ㉡방지하기 위하여 윤활유를 넣습니다. 윤활유는 기계가 맞닿는 부분의 마찰을 줄여준답니다.

자동차에 사용되는 기체; 기체는 자동차의 어느 부분에 있을까요? 바퀴를 채우고 있는 공기는 바퀴를 둥글게 유지시켜 주고, 자동차가 달릴 때 충격을 줄여 주는 역할을 합니다. 그리고 자동차의 에어컨에는 공기를 차갑게 만들어 주는 기체가 있어 차 안의 온도를 낮추어 줍니다.

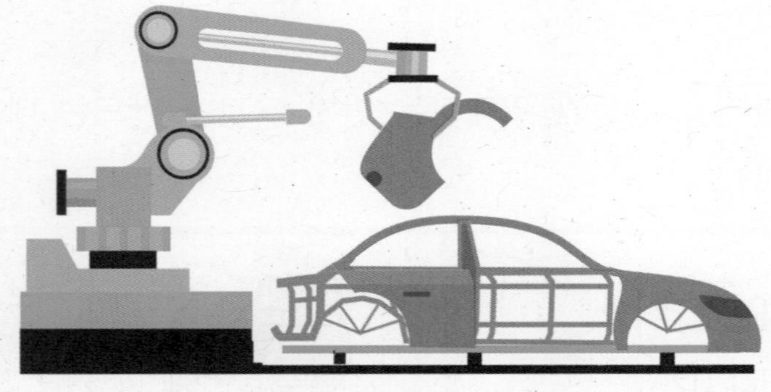

1
주제찾기

글에서 설명한 중심 내용은 무엇입니까? ( )

① 자동차는 운반의 도구이다.
② 자동차의 몸체는 고체로 되어있다.
③ 자동차에 있는 액체를 기체로 바꿀 수 있다.
④ 자동차는 여러 가지 상태의 물질로 만들어졌다.
⑤ 자동차에 사용되는 고체, 액체, 기체는 일정한 형태가 있다.

2
제목찾기

빈칸에 알맞은 낱말을 글에서 찾아 이 글의 제목을 완성하세요.

자동차 속의 여러 상태의 □□

3
사실이해

이 글에서 글을 쉽게 이해할 수 있도록 사용한 방법은 무엇입니까? ( )

① 물건에 대해 이름을 정확히 붙였다.
② 모양, 움직임, 색깔 등을 떠올리도록 했다.
③ 성질이 같은 것들을 묶어서 종류를 나누었다.
④ 서로 다른 점을 견주면서 한 쪽의 특징을 강조했다.
⑤ 일이 이루어지는 순서에 따라 항목을 나누어 나열했다.

4
미루어알기

글을 읽고 떠올린 생각으로 알맞지 않은 것은 어느 것입니까? ( )

① 비행기는 한 가지 상태의 물질로 만들 수 있다.
② 음료수를 이루고 있는 물질의 상태는 액체이다.
③ 종이를 이루고 있는 물질의 상태는 고체이다.
④ 기체는 담는 그릇에 따라 모양이 변한다.
⑤ 자동차의 부속품은 주로 고체로 되어 있다.

5
세부내용

㉠과 ㉡을 쉬운 우리말로 옳게 고쳐 짝을 지은 것을 고르세요. ( )

① ㉠ 옮겨서 나르는 – ㉡ 피해가기
② ㉠ 실어서 보내는 – ㉡ 머뭇거리기
③ ㉠ 옮겨서 나르는 – ㉡ 막아내기
④ ㉠ 실어서 보내는 – ㉡ 미리 알기
⑤ ㉠ 태워서 건너는 – ㉡ 살펴가기

6
적용하기

글을 읽고 전기 자동차에 대해 생각한 내용으로 알맞은 것을 고르세요. ( )

① 고체 부품은 사용하지 않아도 될 거야.
② 타이어가 없는 자동차도 곧 등장할 거야.
③ 자동차를 움직일 때 사용하는 연료는 액체야.
④ 전기자동차에서 휘발유는 더 이상 필요가 없어질 거야.
⑤ 자동차의 에어컨은 공기를 차갑게 하는 기체가 필요 없어질 거야.

7
요약하기

글의 내용을 정리하여 아래의 빈칸을 채우세요.

	물질의 상태	자동차에 있는 물질
고체	모양이 변하지 않는다.	자동차의 ① [ ][ ]와 내부 부품들.
액체	모양이 일정하지 않다.	자동차의 연료, 윤활유
기체	모양이 일정하지 않다.	바퀴를 채우고 있는 ② [ ][ ]

어휘 넓히기

해설편 02쪽

뜻

낱말의 뜻풀이로 알맞은 것을 보기 에서 골라 괄호 안에 기호를 쓰세요.

(1) 딱딱하다 (　　　)
(2) 단단하다 (　　　)
(3) 부드럽다 (　　　)

보기
㉠ 가루 따위가 매우 잘고 곱다. 거칠거나 뻣뻣하지 아니하다.
㉡ 몹시 굳고 단단하다.
㉢ 어떤 힘을 받아도 쉽게 그 모양이 변하거나 부서지지 아니하는 상태에 있다.

다지기

아래 문장의 빈칸에 알맞은 낱말을 보기 에서 찾아 쓰세요.

보기
딱딱한　　단단한　　부드러운

(1) 자동차의 몸체는 ☐☐☐ 고체로 이루어져 있다.
(2) 이 과일은 ☐☐☐ 껍질로 둘러쌓여 있다.
(3) 껍질을 벗기자 ☐☐☐☐ 속살이 나왔다.

넓히기

다음 한자어의 구성과 뜻을 알아보고, 빈칸에 알맞은 한자어를 쓰세요.

- **물건(物** 물건 물. **件** 물건 건.**)** 일정한 형체를 갖춘 모든 물질적 대상.
- **물체(物** 물건 물. **體** 몸 체.**)** 모양을 가지고 있는 것.
- **물질(物** 물건 물. **質** 바탕 질.**)** 물체의 본바탕.

(1) 여과기는 더러워진 ☐☐을 걸러내어 깨끗하게 만든다.
(2) 쓸 만한 ☐☐이 없다고 불평이다.
(3) 이상한 ☐☐가 공중에 떠 있다.

시간
공부 날짜 ☐ 월 ☐ 일
푸는데 걸린 시간 ☐ 분

확인
맞은 개수 써보기

독해	☐ 개/7개	어휘	☐ 개/9개

04

이야기 중에 나오는 도깨비는 자연물이나 사람이 쓰던 물건이 변하여 되는 경우가 많아요. 이야기 속의 도깨비가 사는 곳은 정해져 있지 않지만, 들판·산길·계곡·절간이나 헌 집 등에 흔히 나타나므로 사는 곳도 그러한 곳이라고 여겨졌지요.

1. 15점 2. 15점 3. 10점 4. 15점 5. 15점 6. 15점 7. 15점

옛날에 아주 부지런하고 지혜로운 농부가 살고 있었어. 하루는 밭을 일구고 있었지. 땀을 뻘뻘 흘리면서 괭이로 돌을 골라냈어. 그런데 옆 동굴에 사는 심술쟁이 도깨비가 심술을 부렸지.

"에잇, 시끄러워 못 살겠네. 이 도깨비 어르신의 단잠을 방해하는 녀석을 반드시 혼내 주고 말 테야."

이런 도깨비의 마음을 모르는 농부는 열심히 괭이질만 하였지. / "여차, 여차."

해가 뉘엿뉘엿 넘어가자 농부는 일을 마치고 집으로 돌아갔지. 도깨비는 슬그머니 농부의 뒤를 따라갔어. 집에 들어서는 농부를 그의 아내는 반갑게 맞아 주었어.

"여보, 일하느라 고생이 많았어요. 어서 들어와서 쉬세요."

농부를 반갑게 맞이하는 아내를 본 도깨비는 더욱 심술이 났지.

㉠"난 말이야, 사람들이 재미있고 행복하게 사는 걸 보면 화가 나. 두고 봐라! 혼을 내주고 말 테야."

이튿날, 밭에 갔던 농부는 깜짝 놀랐지. 어제 하루 종일 힘들게 골라낸 돌들이 다시 밭으로 들어와 있는 것이 아니겠어?

'이건 틀림없이 심술궂은 도깨비의 짓이로구나. 그렇다면…….'

"누군지 모르지만 이렇게 돌을 많이 가져다 놓았으니 참 고맙기도 하지. 만약 쇠똥이나 거름을 가져다 놓았더라면 큰일 날 뻔했지 뭐야?"

농사일을 모르는 도깨비가 가만히 들어보니 자기가 실수한 것 같았지. 그래서 농부가 돌아가자마자 돌을 치우고 쇠똥이랑 거름을 밭으로 날랐지. 밭은 금방 쇠똥과 거름투성이가 되었지.

이튿날 밭을 본 농부는 (㉡) 하였지만 속으로는 무척 좋았지.

'아, 이 정도이면 올해 농사는 풍년이 들겠는걸. 도깨비야, 네 심술이 나를 돕는구나!' / 그러면서도 도깨비가 들으라고 눈물을 지으며 투덜거렸지.

"아이고, 도대체 내가 뭘 잘못했다고 누가 이렇게 날 괴롭히지?"

도깨비는 신이 나서 펄쩍펄쩍 뛰었지. 하지만 그해 가을, 풍년이 든 걸 보고서는 자기가 속은 줄 알았어. / '이놈의 농부! 네가 이기나 내가 이기나 두고 보자!'

이제 도깨비는 농부 뒤를 졸졸 따라다니면서 골탕 먹일 일만 생각하였지. 그런데 어느 날, 농부가 밤송이에 찔려 쩔쩔매는 걸 보았어.

'흥, 밤송이에는 꼼짝 못하는구먼,'

그러고서는 밤새 농부네 집 마당 가득히 밤송이를 깔아 두었지.

아침 일찍 세수하러 나온 농부는 이걸 보고 또 엉뚱한 소리를 하였어.

(가) "세상에, 누가 또 이렇게 고마운 일을 해 놓았을까? 올겨울에는 땔감 걱정 안 해도 되겠네. 난 참 복도 많아. 밤송이 말고 알밤을 깔아 놓았더라면 큰일 날 뻔했는데 말이야!"

1 주제찾기

글에서 사용된 낱말을 골라 글의 주제를 완성하세요.

⇨ 지혜를 발휘하여 도깨비의 ① [ ][ ]을 자신의 이익으로 돌려 놓은 ② [ ][ ]

2 제목찾기

글에 알맞은 제목을 붙이기 위해 빈칸을 채우세요.

⇨ ① [ ][ ][ ]를 골탕 먹인 ② [ ][ ]

3 사실이해

㉠에서 떠올릴 수 있는 인물의 성격은 어떠합니까? ( )

① 모나다 ② 모질다 ③ 너그럽다
④ 심술궂다 ⑤ 둥글둥글하다

4
미루어알기

(㉡)에 들어갈 말로 알맞은 것은 무엇입니까? ( )

① 화가 난 척
② 실망하는 척
③ 머뭇거리는 척
④ 되돌아가는 척
⑤ 깜짝 놀라는 척

5
세부내용

이야기를 전해 주는 사람에 관한 설명으로 옳은 것을 고르세요. ( )

① 이야기를 들어 주기도 한다.
② 일의 옳고 그름을 따져 말한다.
③ 등장인물의 마음을 잘 알고 있다.
④ 이야기가 어떻게 끝날지 알려준다.
⑤ 듣는 사람에게 친절하게 말을 걸고 있다.

6
적용하기

(가)를 실감나게 읽으려 할 때, 표정과 목소리로 알맞은 것은 어느 것입니까? ( )

① 기쁜 표정과 밝은 목소리로
② 성난 표정과 어두운 목소리로
③ 슬픈 표정과 울먹이는 목소리로
④ 찡그리는 표정과 울먹이는 목소리로
⑤ 겁에 질린 표정과 울부짖는 목소리로

7
요약하기

위의 이야기와 함께 이어질 줄거리로 알맞은 말을 빈칸을 채워 완성하세요.

농부가 한 일(또는 말)	도깨비가 한 일
밭에서 돌을 골라냄.	← 밭에 돌을 가져다 놓음.
쇠똥이나 거름을 가져다 놓았으면 큰일 날 뻔했다고 말함.	→ 밭에 쇠똥과 거름을 날라 놓음.
밤송이에 찔려 쩔쩔맴.	← 집 마당에 밤송이를 깔아 놓음.
알밤을 깔아 놓았으면 큰일 날 뻔했다고 함.	→ 집 마당에 [ ][ ]을 깔아 놓음.

어휘 넓히기

해설편 02쪽

뜻 낱말의 뜻풀이로 알맞은 것을 보기 에서 골라 괄호 안에 기호를 쓰세요.

(1) 심술쟁이 (　　　)

(2) 심술궂다 (　　　)

보기
㉠ 심술이 매우 많은 사람을 귀엽게 이르는 말.
㉡ 남을 성가시게 하는 것을 좋아하거나 남이 잘못되는 것을 좋아하는 마음이 매우 많다.

참고 '-쟁이'는 '버릇이나 습관 또는 행동'을 가리킬 때 써요. '고집쟁이', '거짓말쟁이', '겁쟁이'처럼요. '-장이'는 어떤 기술을 가지고 있는 사람을 가리킬 때 써요. '도배장이', '미장이', '땜장이'처럼요. '담쟁이'와 '소금쟁이'는 '-쟁이'로 쓴답니다.

다지기 아래 문장의 빈칸에 알맞은 낱말을 보기 에서 찾아 쓰세요.

보기
심술쟁이　　심술궂게

(1) 남을 골탕먹이는 일을 재미있어하는 오빠는 □□□□다.

(2) 오늘은 갑자기 비가 내려 하늘이 □□□□ 느껴졌다.

넓히기 다음 한자어의 구성과 뜻을 알아보고, 빈칸에 알맞은 한자어를 쓰세요.

- **지혜(智** 슬기 지. **慧** 슬기로울 혜.**)** 사물의 이치를 빨리 깨닫고 일을 정확하게 처리하는 마음의 힘.
- **풍년(豊** 수확이 많을 풍. **年** 해 년.**)** 곡식이 잘 자라고 잘 여물어 평년보다 수확이 많은 해.

(1) 비가 알맞게 내리고, 해가 난 날도 많았으니 □□이 들겠다.

(2) 오성은 하나를 들으면 열을 깨칠 만큼 □□로운 아이였다.

시간 공부 날짜 　월 　일
푸는데 걸린 시간 　분

확인 맞은 개수 써보기

독해	개/7개	어휘	개/6개

05

봄철을 나타내는 글감으로 봄바람·봄비 같은 자연현상이라든가 풀이나 개구리 같은 동식물을 자주 볼 수 있어요. 다음 시에서는 어떤 글감으로 봄을 그리고 있는지 같이 살펴봐요.

점수 계산 1. 15점 2. 15점 3. 15점 4. 15점 5. 10점 6. 15점 7. 15점

별빛도 소곤소곤
상추씨도 소곤소곤

물오른 살구나무
꽃가지도 소곤소곤

밤새 내
내 귀가 가려워
㉠잠이 오지 않습니다.

1 주제찾기

시에서 말하고 있는 사람(화자)에게 세상은 어떻게 그려지고 있습니까? ( )

① 무섭다.
② 신비롭다.
③ 곱고 아름답다.
④ 살아서 움직인다.
⑤ 화려한 색깔을 지녔다.

해설편 03쪽

2 글감찾기

시에서 여러 번 사용하여 글감들이 지닌 특성을 표현하는 낱말을 찾아 쓰세요.

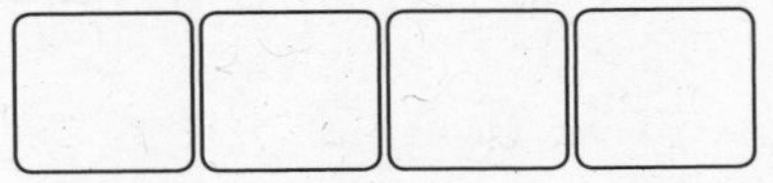

3 사실이해

시에 나타난 낱말 중 느낌이 전혀 다른 하나는 어느 것입니까? ( )

① 별빛
② 상추씨
③ 살구나무
④ 꽃가지
⑤ 밤새

4 미루어알기

㉠의 까닭으로 알맞은 것은 어느 것입니까? ( )

① 차가운 꽃샘추위 때문에
② 밤이 아직 깊어지지 않아서
③ 주변의 사람들이 불쌍해 보여서
④ 오랫동안 헤어진 사람이 생각나서
⑤ 새봄을 맞이하는 벅찬 설렘 때문에

5

세부내용

시의 모양에 대한 바른 설명은 어느 것입니까? ( )

① 줄과 연이 나누어져 있다.
② 모든 줄의 길이가 같다.
③ 모든 연의 줄 수가 같다.
④ 띄어쓰기 할 때마다 글자 수가 같다.
⑤ 이야기처럼 글자가 길게 이어져 있다.

6

적용하기

시의 이해를 위해 아래와 같이 정리하려고 합니다. 보기 의 말을 이용해서 빈칸을 채우세요.

보기

친근하다 사람 소곤소곤

글감들인 '별빛', '상추씨', '꽃가지' 등은 말을 할 수 없는데도 마치 ① ☐☐인 것처럼 ② ☐☐☐☐ 말을 하고 있습니다. 이처럼 물건을 사람에 견주어 표현한 것은, 글감들이 시에서 말하고 있는 사람(화자)에게 친근한 느낌으로 다가오고 있음을 알려주기 위한 것입니다.

7

요약하기

시의 내용 흐름을 아래와 같이 정리해 보았습니다. 빈칸에 알맞은 말을 시에서 찾아 쓰세요.

별빛도 상추씨도 ① ☐☐☐☐

⇒ 꽃가지도 ② ☐☐☐☐

⇒ 밤새 나는 ③ ☐이 오지 않아요.

어휘 넓히기

해설편 03쪽

뜻 낱말의 뜻풀이로 알맞은 것을 보기 에서 골라 괄호 안에 기호를 쓰세요.

(1) 별빛 (　　)
(2) 상추씨 (　　)
(3) 꽃가지 (　　)

보기
㉠ 꽃을 피운 나뭇가지. 아름다우면서 벌써 열매를 맺을 준비를 해요.
㉡ 상추의 씨앗. 봄이 되면 새싹을 틔워요.
㉢ 별의 반짝이는 빛. 사람의 눈으로 볼 수 있어요.

다지기 아래 문장에 알맞은 낱말을 보기 에서 찾아 쓰세요.

보기
상추씨　　별빛　　꽃가지

(1) 텃밭에 배추씨와 ☐☐☐를 심었습니다.
(2) 밤이 깊어 ☐☐이 더욱 빛난다.
(3) 봄이되니 ☐☐☐에 탐스럽게 꽃이 피었습니다.

넓히기 다음 한자어의 구성과 뜻을 알아보고 (1)~(4)에 어울리는 한자어를 쓰세요.

- **생동(生** 살 생. **動** 움직일 동.**)** 힘 있게 살아 움직임.
- **춘면(春** 봄 춘. **眠** 잠 면. 졸음 면.**)** 봄철의 노곤한 졸음.

(1) 봄이 되면 참으려 해도 참지 못할 만큼 몹시 졸려요. 그래서 퍼붓는 잠이지요.
(　　　　)

(2) 봄이라는 계절에 만물이 보여주는 인상이나 특징적인 느낌이라고 할 수 있어요.
(　　　　)

시간 공부 날짜 ☐ 월 ☐ 일
푸는데 걸린 시간 ☐ 분

확인 맞은 개수 써보기

독해	개/7개	어휘	개/8개

어휘·어법 총정리 1주차

보기 의 낱말을 보고, 뜻과 어울리는 것을 골라 아래의 빈칸에 써보세요.

보기: 괴다　내려오다　고안하다　일구다　유래　운반하다　지혜롭다　선별하다

1. 연구하여 새로운 안을 생각해 내다.
2. 사물이나 일이 생겨남. 또는 그 사물이나 일이 생겨난 바.
3. 기울어지거나 쓰러지지 않도록 아래를 받쳐 안정시키다.
4. 높은 곳에서 낮은 곳으로 또는 위에서 아래로 가다.
5. 물건 따위를 옮겨 나르다.
6. 사물의 이치를 빨리 깨닫고 사물을 정확하게 처리하는 정신적 능력이 있다.
7. 논밭을 만들기 위하여 땅을 파서 일으키다.
8. 가려서 따로 나누다.

어법 다음 중 맞춤법에 맞는 것을 골라 동그라미 하세요.

1. [설그머니 / 슬그머니] 따라갔다.
2. 단단하게 [굳치다 / 굳히다].
3. [썩어서 / 쌲어서] 버렸다.
4. 조개 [껍대기 / 껍데기]
5. 동생은 [심술장이 / 심술쟁이]
6. [나무조각 / 나뭇조각]이 있다.
7. [별빛 / 별빝]이 반짝인다.
8. 꽃이 핀 [꽃가지 / 꽂가지]

나의 점수 확인하기

어휘	개 / 8개	어법	개 / 8개

2주차

회차 / 영역	제목	계획 및 점검
06 인문|설명문	놀이동산의 안내방송 • 나는 [ ] 월 [ ] 일 [ ] 시에 공부할 것입니다.	• 독해력에서 나의 점수는 [ ] 점입니다. • 어휘력에서 맞은 문제수는 [ ] 개/8개 입니다. • 어려웠던 문제는 ______ 번입니다.
07 사회|설명문	우리 지역과 다른 나라의 교류 • 나는 [ ] 월 [ ] 일 [ ] 시에 공부할 것입니다.	• 독해력에서 나의 점수는 [ ] 점입니다. • 어휘력에서 맞은 문제수는 [ ] 개/6개 입니다. • 어려웠던 문제는 ______ 번입니다.
08 과학|설명문	이가 없는 동물 • 나는 [ ] 월 [ ] 일 [ ] 시에 공부할 것입니다.	• 독해력에서 나의 점수는 [ ] 점입니다. • 어휘력에서 맞은 문제수는 [ ] 개/8개 입니다. • 어려웠던 문제는 ______ 번입니다.
09 산문문학|이야기	아무도 모를 거야, 내가 누군지 • 나는 [ ] 월 [ ] 일 [ ] 시에 공부할 것입니다.	• 독해력에서 나의 점수는 [ ] 점입니다. • 어휘력에서 맞은 문제수는 [ ] 개/8개 입니다. • 어려웠던 문제는 ______ 번입니다.
10 운문문학|시	바람과 빈병 • 나는 [ ] 월 [ ] 일 [ ] 시에 공부할 것입니다.	• 독해력에서 나의 점수는 [ ] 점입니다. • 어휘력에서 맞은 문제수는 [ ] 개/6개 입니다. • 어려웠던 문제는 ______ 번입니다.

• 이번 주 독해력 문제에서 나의 점수는 평균 [ ] 점입니다.

• 이번 주 어휘력에서 맞은 문제수는 모두 [ ] 개입니다.

놀이동산이나 공연장, 전시회처럼 많은 사람이 모이는 곳에서 듣는 안내 방송 역시 설명하는 말이에요. 안내 방송에는 사람들이 많이 모인 곳인 만큼 주의할 점과 공연 시간 같은 것을 아주 자세히 설명해 주어요. 특히 주의할 점은 잘 새겨듣고 그대로 따라 주어야 안전하게 즐길 수 있어요.

1. 15점 2. 15점 3. 10점 4. 15점 5. 15점 6. 15점 7. 15점

오늘도 저희 놀이동산을 찾아 주셔서 감사합니다. 놀이동산을 이용하실 때에 주의할 점과 공연 시간에 대하여 잠시 안내하여 드리겠습니다.

어제 내린 비로 놀이 기구에 물기가 남아 있어 오늘은 회오리 열차를 운행하지 않습니다. 이 점 양해하시고 이용하시는 데 어려움이 없도록 참고하시기 바랍니다. 청룡 열차를 타실 때는 공중에서 회전하는 동안 몸에 지닌 물건이 밖으로 떨어지지 않도록 주의하십시오. ㉠<u>귀신의 집을 이용하실 때에는 입구에 준비되어 있는 안경을 끼고 안으로 들어가시기 바랍니다.</u> 안경을 사용하면 좀 더 실감 나는 공포 체험[1]을 하실 수 있습니다. 음악 열차를 이용하실 분들은 열차를 타기 전에 출입구에서 음악 동전을 꼭 받으시기 바랍니다. 열차 안에 준비된 음악상자에 동전을 넣으면 멋진 노래를 약 일 분간 들을 수 있습니다. 오후 두 시와 다섯 시에는 놀이동산 중앙 광장에서 여러 나라의 의상 행렬이 있습니다. 저희 놀이동산의 캐릭터[2]들도 모두 나와 함께 행진을 하오니 기념 사진도 많이 찍으시기 바랍니다.

놀이동산을 이용하실 때에 궁금하거나 ㉡□□한 내용이 있으시면 놀이동산 도우미[3]나 안내소를 찾아 주십시오. 그럼 오늘도 안전하고 즐거운 시간 보내시길 바라며 안내 방송을 마칩니다.

❶ 공포 체험 두렵고 무서운 일을 겪어 보는 일 ❷ 캐릭터 소설, 만화, 극 따위에 등장하는 독특한 인물이나 동물의 모습을 디자인에 도입한 것. ❸ 도우미 어떤 일을 거들어주기 위해 채용된 사람. 1993년 대전엑스포에서 처음 사용한 말.

1

주제찾기

글의 내용 중, 주의 깊게 새겨야 할 것은 무엇인가요? ( )

① 방송을 알리는 효과음
② 주의할 점과 공연 시간
③ 비가 내릴 때의 대비
④ 열차의 운행 구간
⑤ 몸에 지닌 물건 간수

해설편 03쪽

2

제목찾기

글의 제목을 완성하기 위해 빈칸에 알맞은 말을 글에서 찾아 쓰세요.

놀이동산의 ☐☐ ☐☐

3

사실이해

㉠의 말을 한 이유로 알맞은 것은 무엇입니까? ( )

① 귀신을 더욱 또렷하게 볼 수 있기 때문에
② 남아 있는 물기를 확인할 수 있기 때문에
③ 실감나는 공포 체험을 할 수 있기 때문에
④ 물건이 밖으로 떨어지지 않기 때문에
⑤ 더욱 멋진 노래를 들을 수 있기 때문에

4

미루어알기

위의 글 ㉡에 들어가기에 가장 알맞은 말을 보기 에서 골라 쓰세요.

보기

궁금 불편 위험

⇨ ☐☐

5
세부내용

이 글의 내용을 들을 수 <u>없는</u> 곳은 어디입니까? ( )

① 지하철
② 놀이동산
③ 표 파는 곳
④ 청룡 열차
⑤ 귀신의 집

6
적용하기

이 글을 듣는 사람들에게 가장 효과적으로 전달할 수 있는 곳은 어디입니까? ( )

① 놀이동산 입구
② 놀이동산 출구
③ 놀이동산 중앙 광장
④ 놀이동산의 안내소 앞
⑤ 놀이동산으로 가는 버스 안

7
요약하기

빈칸에 알맞은 낱말을 글에서 찾아 쓰세요.

놀이동산의 안내 방송을 주의 깊게 잘 들었어요. 그런데도 놀이동산을 이용하다 보니 궁금한 점이 또 생겼어요. 그래서 ① ☐☐☐나 ② ☐☐☐를 찾기로 했어요.

어휘 넓히기

2주 06회

해설편 03쪽

뜻 낱말의 뜻풀이로 알맞은 것을 보기 에서 골라 괄호 안에 기호를 쓰세요.

(1) 드리다 (　　　)
(2) 들어가시다 (　　　)
(3) 바랍니다 (　　　)

보기
㉠ '들어가다'의 높임말. 들어가는 동작을 하는 사람을 높여요.
㉡ '주다'의 높임말. 물건을 줄 때, 그것을 받는 사람을 높여요.
㉢ '바라다'의 높임말. 말을 듣는 상대방을 높여요.

다지기 다음 문장의 빈칸에 넣을 낱말을 보기 에서 골라 쓰세요.

보기
드립시다　　들어가셨다　　바랍니다

(1) 안경을 찾으러 할아버지께서 방으로 □□□□□.
(2) 기차가 곧 출발하겠으니 기차에 탑승하시길 □□□□.
(3) 길거리에서 만난 웃어른께 공손히 인사를 □□□□.

넓히기 다음 한자어의 구성과 뜻을 알아보고, 빈칸에 알맞은 한자어를 쓰세요.

- **안내(案** 이끌 안. **内** 안 내.) 사정을 잘 모르는 어떤 사람을 가고자 하는 곳까지 데려다주거나 그에게 여러 가지 사정을 알려 줌.
- **방송(放** 노을 방. **送** 전달할 송.) 라디오나 텔레비전, 높은 곳에 달아둔 스피커 따위를 통하여 널리 듣고 볼 수 있도록 소리나 그림을 보내는 일.

(1) 소리나 그림을 전파로 보내는 일을 □□이라고 해요.
(2) 목적지에 어려움 없이 도착할 수 있도록 돕는 일이 □□입니다.

공부 날짜 　월 　일
푸는데 걸린 시간 　분

맞은 개수 써보기

독해	개/7개	어휘	개/8개

07

'국제 교류'란 나라와 나라 사이에 문화와 사상 따위를 주고받는 일을 말해요. 보통은 나라의 외교부가 앞장서고 국가 원수까지 나서기도 하여 다른 나라와 문화, 사상 따위를 주고받는 일을 뜻하지요. 한국과 일본 사이, 한국과 미국 사이의 국제 교류라면 이런 뜻이에요. 국제 교류 중에는 나라의 한 지역과 다른 나라의 한 지역 사이에 이루어지는 주고받기도 있어요.

점수 계산 1. 15점 2. 10점 3. 15점 4. 15점 5. 15점 6. 15점 7. 15점

우리나라 안에서 한 지역은 가까운 다른 지역이나 멀리 떨어진 지역과 교류[1]를 통해 도움을 주고받아요. 그런데 우리나라의 각 지역은 다른 나라의 지역과도 교류를 할까요? 우리 지역이 다른 나라의 지역과 교류를 하는지 알아보려면, 시청, 군청, 구청의 누리집에 들어가서 메뉴 중 '국제 교류' 또는 '자매 도시'를 눌러보면 된답니다.

부산광역시는 2015년 현재 23개 나라의 26개 도시와 교류를 하고 있어요. 타이완의 가오슝, 미국의 로스앤젤레스와 시카고, 일본의 시모노세키와 후쿠오카, 에스파냐의 바르셀로나, 브라질의 리우데자네이루, 러시아의 블라디보스토크와 상트페테르부르크, 중국의 상하이, 인도네시아의 수라바야, 오스트레일리아의 빅토리아 주, 멕시코의 티후아나, 베트남의 호치민, 캐나다의 몬트리올, 터키의 이스탄불, 아랍 에미리트의 두바이, 인도의 뭄바이, 필리핀의 세부, 미얀마의 양곤 등과 교류하고 있지요.

각 지역과의 교류 내용은 지역에 따라 달라요. 미국의 로스앤젤레스와는 서로의 행사나 축제에 참여하고, 일본의 시모노세키와는 두 지역 학생들의 교류가 이루어지고 있어요. 그리고 에스파냐의 바르셀로나와는 서로의 주요 시설 및 기관을 방문하고, 러시아의 블라디보스토크와는 학교 간의 자매결연[2]을 하고 경제 토론회를 열었어요.

낱말 풀이

❶ 교류 문화나 사상 따위가 서로 통하게 하는 것. ❷ 자매결연 한 지역이나 단체가 다른 지역이나 단체와 서로 돕거나 교류하기 위하여 친선 관계를 맺는 일.

1
주제찾기

글의 주제를 정리한 아래의 빈칸에 알맞은 낱말을 찾아 쓰세요.

부산광역시와 세계의 다른 지역 사이의 [ ][ ]

2
글감찾기

글감을 알맞게 표현한 말을 고르세요. ( )

① 지역 특색
② 우리 지역
③ 국제 교류
④ 외국 방문
⑤ 주요 시설

3
사실이해

글을 펼쳐 나간 방식을 알맞게 설명한 것은 어느 것입니까? ( )

① 순서에 따라 여러 지역을 소개하고 있다.
② 스스로 묻고 그 물음에 대해 답을 하고 있다.
③ 같은 성질을 지니는 것끼리 묶어서 정리하고 있다.
④ 같거나 비슷한 점을 들어서 둘을 견주어 나가고 있다.
⑤ 장소를 옮겨가면서 보고 들은 것들을 나열하고 있다.

4
미루어알기

글을 읽고 알 수 있는 내용으로 알맞은 것은 어느 것입니까? ( )

① 멀리 떨어진 지역끼리만 교류한다.
② 가까이 있는 나라는 서로를 미워한다.
③ 나라와 나라 사이의 교류는 하지 않는다.
④ 교류를 통해 지역이 서로 도움을 주고받는다.
⑤ 행사나 축제의 참여가 교류의 주된 내용이다.

5
세부내용

부산광역시와 교류하지 <u>않은</u> 지역은 어디입니까? ( )

① 가오슝
② 시카고
③ 상하이
④ 뭄바이
⑤ 자카르타

6
적용하기

글쓴이가 알려주려는 내용은 무엇입니까? ( )

① 한 지역의 특색
② 멀리 떨어진 지역
③ 지역 사이의 교류
④ 세계 각국의 수도
⑤ 외국의 특수한 지역

7
요약하기

우리나라와 다른 나라의 지역 사이에 이루어진 교류 내용을 정리한 표의 빈칸을 글에 나온 낱말로 채우세요.

부산광역시	미국 - 로스앤젤레스	행사나 ① □□에 참여
	일본 - 시모노세키	지역 ② □□들의 교류
	에스파냐 - 바르셀로나	주요 시설과 기관 ③ □□
	러시아 - 블라디보스토크	④ □□ 자매결연 , 경제 토론회

어휘 넓히기

해설편 04쪽

뜻 낱말의 뜻풀이로 알맞은 것을 보기 에서 골라 괄호 안에 기호를 쓰세요.

(1) 외래어 (   )
(2) 순화어 (   )

보기
㉠ 규범에서 벗어난 말, 외래어 따위를 순수하고 쉽고 어법에 맞도록, 또는 순우리말로 순화한 말을 이른다. 예 누리집
㉡ 외국에서 들어온 말로 국어에서 널리 쓰이는 말. 예 홈페이지

다지기 다음 문장의 빈칸에 알맞은 낱말을 보기 에서 찾아 쓰세요.

보기
외래어   순화어

(1) 사람들이 컴퓨터를 통해 다른 사람들과 지식과 정보를 주고받게 되면서 '홈페이지'라는 □□□가 생겼어요.

(2) '누리집'은 '홈페이지'의 □□□예요.

넓히기 다음 한자어의 구성과 뜻을 알아보고, 빈칸에 알맞은 한자어를 쓰세요.

- **지역(地** 땅 지. **域** 지경 역.) 어떤 기준에 따라 나누어진, 크기가 일정한 땅. 전체 사회를 어떤 특징으로 나눈 일정한 구역.
- **교류(交** 사귈 교. **流** 흐를 류.) 문화나 사상 따위를 서로 주고받음.

(1) 우리나라 안에서 사용하는 말은 □□에 따라 차이가 납니다.

(2) 우리나라와 중국 사이에는 문화의 □□가 오랫동안 이어져 왔습니다.

시간 공부 날짜 (   )월 (   )일
푸는데 걸린 시간 (   )분

확인 맞은 개수 써보기

독해	( )개/7개	어휘	( )개/6개

08

식물이나 동물 등 생물은 셀 수 없을 만큼 오랜 시간 동안 먹이 활동을 쉽게 할 수 있도록 제 몸을 바꾸어왔답니다. 동물의 경우 이[치아; 齒牙]는 먹이 활동을 편하고 쉽게 몸을 바꾸어 온 대표적인 예랍니다. 이 말고도 부리, 혀, 큰 입 등도 먹이 활동을 편하고 쉽게 하기 위해 동물이 제 몸을 바꾸어온 결과랍니다.

점수 계산 1. 15점 2. 10점 3. 15점 4. 15점 5. 15점 6. 15점 7. 15점

우리가 아는 동물은 대부분 이가 있습니다. 동물은 이로 먹이를 잡거나 씹어서 삼킵니다. 그러나 이가 없는 동물도 있습니다. 이가 없는 동물도 저마다 다른 방법으로 먹이를 먹습니다.

부리를 이용하여 먹이를 잡거나 먹는 동물이 있습니다. 독수리는 튼튼하고 끝이 갈고리처럼 구부러진 부리로 먹이를 찢어 먹습니다. 딱따구리는 가볍고 단단한 부리로 구멍을 파 나무에 숨어 있는 곤충을 잡아먹습니다. 그리고 왜가리는 길고 끝이 뾰족한 부리로 머리를 물에 담그지 않고도 먹이를 잡아먹을 수 있습니다.

혀로 먹이를 잡거나 먹는 동물도 있습니다. 카멜레온은 곤봉처럼 생긴 아주 긴 혀를 총처럼 쏘아서 벌레를 잡아 삼킵니다. 두꺼비도 카멜레온보다는 짧지만 길고 넓은 혀로 번개처럼 빠르게 벌레를 잡아 삼킵니다. 달팽이는 치설[1]이라고 하는, ㉠ □□ □로 잎이나 꽃을 갉아먹습니다. 그리고 개미핥기는 끈끈한 혀로 흰개미를 핥아 먹습니다.

입으로 먹이를 빨아들이거나 물과 함께 마시는 동물도 있습니다. 바다에 사는 해마는 기다란 주둥이 끝에 달린 진공청소기처럼 생긴 긴 입으로 아주 작은 동물을 빨아들입니다. 흰긴수염고래와 같이 고래수염이 있는 고래들은 크릴새우를 바닷물과 함께 들이마십니다. 그런 다음에 물은 고래수염 사이로 뱉어내고 크릴새우만 걸러서 삼킵니다.

이가 없는 동물도 저마다 여러 가지 방법으로 먹이를 먹습니다. 부리를 이용하여 먹이를 잡거나 먹기도 하고, 혀로 먹이를 잡거나 먹기도 하며, 입으로 먹이를 빨아들이거나 물과 함께 마시기도 합니다.

❶ 치설 연체동물의 입 속에 있는 줄 모양의 기관. 키틴질이 많은 작은 이가 늘어서 있으며, 먹이를 섭취하는 구실을 한다.

1
주제찾기

보기 에서 빈칸에 알맞은 말을 찾아 이 글의 중심 내용을 완성하세요.

보기
잡는 방법 먹이 먹는 씹는

이가 없는 동물이 [ ][ ] 를 [ ][ ][ ][ ]

해설편 04쪽

2
글감찾기

글감으로 알맞은 것을 고르세요. ( )

① 동물의 먹이 종류
② 동물의 이의 모양
③ 동물의 먹이 활동
④ 먹이의 종류와 먹는 방법
⑤ 동물의 종류와 이의 모양

3
사실이해

글을 쉽게 이해할 수 있도록 글쓴이가 사용한 방법은 무엇입니까? ( )

① 그림처럼 그리기
② 둘을 나란히 견주기
③ 예를 많이 들기
④ 정확히 가리키기
⑤ 성질이 같은 것끼리 묶기

4
미루어알기

글을 읽고 떠올린 생각으로 알맞지 않은 것은 무엇인가요? ( )

① 새들은 대개 부리로 먹이를 먹는다.
② 대부분의 동물은 이로 먹이를 먹는다.
③ 수염고래는 먹이를 먹을 때 바닷물을 걸러낸다.
④ 두꺼비는 카멜레온보다 더 많은 먹이를 먹는다.
⑤ 이가 없는 동물이 먹이를 먹는 방법은 여러 가지이다.

5 세부내용

㉠□□ □에 들어갈 알맞은 말은 무엇인가요? ··········· ( )

① 거친 혀　② 거친 이
③ 여린 혀　④ 여린 이
⑤ 얇은 혀

6 적용하기

보기 에서 관찰한 동물은 무엇입니까? ··········· ( )

보기
카멜레온보다는 짧지만 길고 넓은 혀로 번개처럼 빠르게 벌레를 잡아 삼켰어요.

① 딱따구리　② 왜가리
③ 달팽이　④ 개미핥기
⑤ 두꺼비

7 요약하기

글에 나온 다른 동물의 먹이 활동 방법을 보기 에서 찾아 빈칸에 넣으세요.

보기
들이　빨아　핥아

(1) 개미핥기는 흰개미를 □□ 먹어요.

(2) 해마는 작은 동물을 □□들여요.

(3) 흰긴수염고래는 크릴새우를 □□마십니다.

어휘 넓히기

뜻

낱말의 뜻풀이로 알맞은 것을 보기 에서 골라 괄호 안에 기호를 쓰세요.

(1) 씹다 (　　　)
(2) 찢다 (　　　)
(3) 잡다 (　　　)

보기
㉠ 물체를 잡아당기어 가르다.
㉡ 붙들어 손아귀에 넣다.
㉢ 음식 따위를 입에 넣고 윗니와 아랫니를 움직여 잘게 자르거나 부드럽게 갈다.

2주 08회

해설편 04쪽

다지기

동물들이 먹이 활동을 하는 방법을 보기 에서 찾아 빈칸에 쓰세요.

보기
씹어　　찢어　　잡아

(1) 독수리는 부리로 먹이를 [　][　] 먹습니다.

(2) 소는 풀을 입안에 가득 넣고 [　][　] 삼킵니다.

(3) 카멜레온은 긴 혀를 쏘아서 벌레를 [　][　]서 삼킵니다.

넓히기

다음 한자어의 구성과 뜻을 알아보고, 빈칸에 알맞은 한자어를 쓰세요.

• **치설(齒** 이 치. **舌** 혀 설.) 이빨 구실을 하며, 수많은 돌기의 다발로 되어 있는 혀.
• **진공(眞** 참될 진. **空** 텅 빌 공. 공중 공.) 그 무엇도 없는 텅 빈 공간.

(1) '참으로 아무것도 없는 텅 빈 세계'라는 뜻으로 [　][　]이라고 이름 붙였어요.

(2) 문어는 [　][　]이 있어서 게나 가재 따위의 껍데기에 구멍을 뚫어서 잡아먹어요.

시간
공부 날짜 [　]월 [　]일
푸는데 걸린 시간 [　]분

확인
맞은 개수 써보기

독해	개/7개	어휘	개/8개

09

어린이가 주인공으로 나오는 이야기를 읽을 때는 내가 겪은 일과 견주어가면서, 등장인물과 비슷한 상황에 놓였을 때 나라면 어떻게 생각하고 행동했을까 하면서 읽어보세요. 이렇게 읽으면 재미도 있고, 직접 겪은 일이 아니더라도 실감나게 다가올 거예요.

점수 계산 1. 15점 2. 15점 3. 10점 4. 15점 5. 15점 6. 15점 7. 15점

결국, 엄마가 외갓집에 전화를 했어.

"저희가 요즘 너무너무 바빠요. 한 달만 우리 건이 좀 맡아 주세요."

㉠<u>건이가 또 심술을 부렸어.</u> 열 밤씩 세 번만 자고 온다던 엄마, 아빠가 오늘도 오지 않았거든. / 심술이 나는 거야 당연하지 안 그래?

하지만 이건 너무했어. 할머니도 이번에는 화내실걸. 게다가 할아버지한테 걸리면 정말 혼날 거야.

건이는 와락 겁이 나서 다락방에 숨었어. 그런데 이게 뭐야? 다락방에는 탈, 탈, 탈들이 있었어. 처음에는 무서웠지. 다락방이 어두웠거든. 게다가 탈이며 요강이며 온갖 잡동사니들이 힐끔힐끔 쳐다보는 것 같잖아. 꼭 귀신처럼 말이야. 하지만 좋은 생각이 났어. / "탈을 쓰면……. 그래! 아무도 모를 거야, 내가 누군지."

"눈이 네 개면 깜깜해도 잘 보일 거야."

건이가 네눈박이 탈을 쓰고 부리부리한 눈알을 뙤록뙤록 굴리자 힐끔거리던 귀신들이 "어이쿠!" 비명을 질렀어. 건이는 우쭐 신이 났어. 퉁방울눈으로 귀신들을 째려보기도 하고, 반달 눈썹을 찌푸리기도 하고, 대문짝만한 이를 뽐내며 으르렁거리기도 했어.

"모두 나만 보면 도망치네. 에이, 심심해."

그래서 이번에는 누구나 반기는 소 탈을 골랐어. 짚을 고아 만든 뿔은 우뚝, 짚신으로 만든 귀는 쫑긋, 짚신으로 만든 혀를 날름거리며 음매애.

"아무도 모를 거야, 내가 누군지."

그래서 이번에는 의젓한 양반탈을 골랐어. 활짝 웃는 실눈은 움푹, 둥그런 주먹코는 불쑥, 턱은 덜걱덜걱 제멋대로 움직였지.

"아무도 모를 거야, 내가 누군지." / "공자 왈, 맹자 왈"

건이는 왼쪽, 오른쪽 몸을 흔들며 어려운 책을 줄줄 읽었어.

"에이, 너무 점잔을 빼니까 재미없어."

그래서 이번에는 엄마처럼 예쁜 각시탈을 골랐어. 초승달 같은 눈썹에 두 눈은 초롱초롱, 앵두 같은 입술에 연지 찍고 곤지 찍고,

"정말 아무도 모를 거야, 내가 누군지."

건이가 엄마처럼 차리고 예쁘게 춤을 추는데 멀리서 할머니가 건이를 부르는 소리가 들렸어. / "건이야, 우리 건이 어디 있니?"

건이는 이제 그만 다락방에서 나가고 싶었어. 하지만 그냥 나갈 수는 없잖아. 그래서 이렇게 생각했지. '한 번만 더 부르지. 그러면 나갈 텐데.'

그래서 이번에는 할미 탈을 쓰고 할머니 흉내를 내 보았어.

"이제부터 내가 할머니야. 건이야, 우리 건이 어디 있니? 할머니는 못 찾겠다. 빨리 나와라."

그러자 정말 건이를 부르는 소리가 또 들렸어. 건이가 바깥으로 나가려고 살금살금 기어서 다락문을 살짝 열고 바깥을 엿보는데, / "하, 하, 할머니! 어, 엄마, 아빠!"

그런데 말이야, ㉡탈을 쓰면 정말 아무도 모를까, 내가 누군지?

해설편 05쪽

1 주제찾기

'건이'가 어른이 되어 떠올렸음직한 내용은 어느 것입니까? ( )

① 엄마, 아빠는 내게 참 무관심했어.
② 할머니는 엄마, 아빠를 아주 미워했어.
③ 할아버지는 탈을 쓰고 노는 나를 꾸중하셨어.
④ 나는 탈을 쓰면 내가 누구인지 아무도 모를 줄 알았어.
⑤ 엄마, 아빠는 왜 내가 외가에서 탈을 쓰도록 했는지 모르겠어.

2 제목찾기

'건이'가 탈을 쓰고 하는 놀이를 보기 에서 골라 빈칸에 쓰세요.

보기

소꿉 역할 병정

☐☐ 놀이

3
사실이해

줄거리를 펼쳐 나가는 데 중심이 되는 인물은 누구인지 쓰세요.

( )

4
미루어알기

㉠의 이유로 알맞은 것은 어느 것입니까? ( )

① 엄마가 약속을 어겨서
② 아빠가 내게 화를 내서
③ 내가 몹시 성이 나서
④ 할머니가 귀찮아해서
⑤ 할아버지가 거절해서

5
세부내용

일이 일어나고 있는 주된 장소를 글에 나온 낱말로 빈칸에 쓰세요.

⇨ 외갓집의 □□□

6
적용하기

장소가 달라진다고 할 때, ㉡에 대한 답으로 알맞은 것을 아래에서 고르세요.

틀림없이 안다.　　전혀 모른다.　　알 수도 있고 모를 수도 있다.

7
요약하기

글에서 '탈'이 바뀌는 과정을 따라 정리한 아래의 빈칸을 채우세요.

'탈'의 종류	건이가 한 일
□□□□ 탈	귀신을 째려보기도 하고, 눈썹을 찌푸리기도 함.
□ 탈	네 발로 기어 다니며 '음매애'함.
□□ 탈	몸을 흔들며 어려운 책을 읽음.
□□ 탈	엄마처럼 차리고 예쁘게 춤을 춤.
□□ 탈	할머니 흉내를 냄.

어휘 넓히기

뜻 **낱말의 뜻풀이로 알맞은 것을 보기에서 골라 괄호 안에 기호를 쓰세요.**

(1) 네눈박이 (　　　)
(2) 통방울눈 (　　　)
(3) 반달눈썹 (　　　)

보기
㉠ 통방울처럼 불거진 둥그런 눈.
㉡ 반달 모양으로 생긴 눈썹.
㉢ 양쪽 눈 위에 흰 점이 있어 언뜻 보기에 눈이 넷으로 보이는 개.

다지기 **다음 문장의 빈칸에 들어갈 낱말을 보기에서 찾아 쓰세요.**

보기
네눈박이　　통방울눈　　반달눈썹

(1) 커다란 두 눈과 잘 어울리는 □□□□이 참 예쁘다.
(2) 유난히 큰 □□□□이 금방 튀어나올 것 같았다.
(3) 두 눈 위에 다른 개와 달리 흰 점이 있는 □□□□이다.

넓히기 **다음 한자어의 구성과 뜻을 알아보고, 빈칸에 알맞은 한자어를 쓰세요.**

- **대문(大** 클 대. **門** 문 문.**)** 큰 문. 주로, 한 집에서 가장 자주 드나드는 문을 이름.
- **가면(假** 거짓 가. **面** 얼굴 면.**)** 얼굴을 감추거나 달리 꾸미기 위하여 나무, 종이, 흙 따위로 만들어 얼굴에 쓰는 물건.

(1) 집에 드나드는 문 가운데 가장 큰 문이 □□이에요.
(2) 탈은 우리 민족이 오랫동안 써온 □□이에요.

시간 **공부 날짜** □월 □일
푸는데 걸린 시간 □분

확인 **맞은 개수 써보기**

독해	개/7개	어휘	개/8개

10

다른 사람과 어떤 물건이나 현상으로부터 같은 느낌을 함께 가지게 되기가 공감하기예요. 보통 사람이 아무 때나 가질 수 있는 느낌이 아니에요. 세상을 사랑하는 마음을 가질 수 있어야 생길 수 있는 느낌이죠. 시인은 상상력을 발휘하여 아래 시처럼 물건도 이런 느낌을 가질 수 있다고 말하기도 해요.

점수 계산 1. 15점 2. 15점 3. 15점 4. 15점 5. 10점 6. 15점 7. 15점

바람이
숲속에 버려진 빈병을 보았습니다.

"쓸쓸할 거야."

바람은 함께 놀아 주려고
빈병 속으로 들어갔습니다.

병은
기분이 좋았습니다.

"보오 보오."

맑은 소리로

㉠ <u>휘파람을 불었습니다.</u>

1 주제찾기

이 시가 감동을 주는 까닭을 아래에 정리해 보았습니다. 시에 나온 낱말을 꼴바꿈하여 빈칸을 채우세요.

> 이 시는 빈 병의 ☐☐☐을 함께 느낀 바람이 빈 병에게 공감하는 태도를 보여줍니다. 이런 태도는 사람 사이의 따듯한 정이 소중하다는 사실을 일깨웁니다.

해설편 05쪽

2 글감찾기

시의 글감 두 가지를 시에서 찾아 쓰세요.

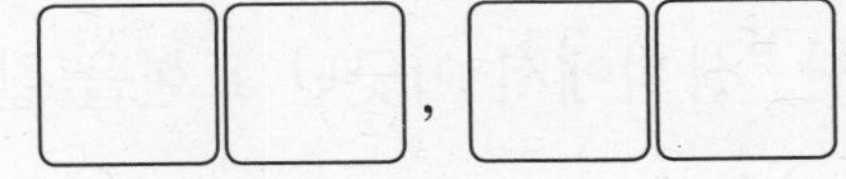

3 사실이해

이 시를 두 문장으로 요약할 때 두 번째 주어가 되는 것은 무엇입니까? ······ (　　)

① 바람
② 숲속
③ 빈병
④ 기분
⑤ 소리

4 미루어알기

특별히 짤막하게 줄과 연을 나눈 이유는 무엇일까요? ······ (　　)

① 시간이 바뀌기 때문에
② 장소가 바뀌기 때문에
③ 분위기가 달라지기 때문에
④ 내용이 달라진다는 표시를 위해
⑤ 말의 뜻과 느낌을 되새기도록 하기 위해

5 세부내용

㉠에 대한 설명으로 바르지 않은 것은 어느 것입니까? ( )

① 사람이 낸 소리이다.
② 바람이 내도록 한 소리이다.
③ 기분이 좋아서 병이 낸 소리이다.
④ 바람이 병 속을 돌아 나가는 소리이다.
⑤ 시에서는 "보오 보오"라고 반복된 소리로 표현하고 있다.

6 적용하기

이 시에 나타난, 상식에서 어긋난 표현을 잘 설명한 것은 어느 것입니까? ( )

① 닮지 않은 것을 닮았다고 한다.
② 똑같지 않은 것을 똑같다고 한다.
③ 물건이 사람처럼 말하고 행동한다.
④ 부분으로 전체를 다 말할 수 있다고 한다.
⑤ 마음에 품고 있는 생각과 전혀 반대되게 말한다.

7 요약하기

이 시의 핵심 내용을 아래와 같이 간추렸습니다. 빈칸에 알맞은 낱말을 보기 에서 골라 넣으세요.

보기

애정 증오 함께 공감

바람이 숲속에 버려진 빈병을 보고 그 처지를 ① □□함으로써 바람과 빈병은 서로 ② □□하게 됩니다.

어휘 넓히기

뜻

낱말의 뜻풀이로 알맞은 것을 보기 에서 골라 괄호 안에 기호를 쓰세요.

(1) 바람 (　　　)
(2) 숲속 (　　　)

보기
㉠ 나무가 우거진 숲의 안쪽. 외로움, 쓸쓸함, 두려움 등을 느끼게 해요.
㉡ 공기의 움직임. 보통은 외롭고 쓸쓸한 느낌을 갖도록 하지만, 이 시에서는 그런 느낌을 갖고 있는 상대방을 달래주려 해요.

2주 10회

해설편 05쪽

다지기

다음과 같은 장면의 시에서 사용하기에 알맞은 낱말을 보기 에서 찾아 쓰세요.

보기
바람　　숲속

(1) 나무가 우거진 깊은 [　][　]에 혼자 살고 있어요.

(2) 가을이 한창 깊어지면서 서늘한 [　][　]이 느껴져요.

넓히기

다음 한자어의 구성과 뜻을 알아보고, 빈칸에 알맞은 한자어를 쓰세요.

- **기분(氣** 기운 기. **分** 나눌 분.**)** 주위를 둘러싸고 있는 상황이나 분위기에 따라 절로 생기며, 한동안 이어지는 마음의 상태나 느낌.
- **공감(共** 한가지 공. **感** 느낄 감.**)** 남의 감정, 의견, 주장 따위에 대하여 자기도 그렇다고 느낌. 또는 그렇게 느끼는 기분.

(1) 날이 어두워지고 비까지 내리니 [　][　]이 답답하였다.

(2) 어머니는 나의 이야기에 고개를 끄덕이며 [　][　]을 표시하셨어.

시간

공부 날짜 [　]월 [　]일

푸는데 걸린 시간 [　]분

확인

맞은 개수 써보기

독해	[　]개/7개	어휘	[　]개/6개

어휘·어법 총정리

2주차

어휘 **보기** 의 낱말을 보고, 뜻과 어울리는 것을 골라 아래의 빈칸에 써보세요.

보기: 참고하다 실감 교류하다 다락방 토론회 삼키다 인내하다 갈고리

1. 문화나 사상 따위를 서로 통하게 하다. [ ]
2. 실제로 제 몸으로 겪는 느낌. [ ]
3. 살펴서 도움이 될 만한 재료로 삼다. [ ]
4. 끝이 뾰족하고 꼬부라진 물건. 물건을 걸고 끌어당기는 데 쓴다. [ ]
5. 무엇을 입에 넣어서 목구멍으로 넘기다. [ ]
6. 어떤 문제에 대하여 여러 사람이 각각 의견을 말하며 논의하는 모임. [ ]
7. 부엌 위에 이 층처럼 만들어서 물건을 넣어 두는 곳. [ ]
8. 괴로움이나 어려움을 참고 견디다. [ ]

어법 **다음 중 맞춤법에 맞는 것을 골라 동그라미 하세요.**

1. 눈을 [뙤록뙤록 / 뛰룩뛰룩] 굴렸다.
2. 서먹함이 [드러났다 / 들어났다].
3. [길다란 / 기다란] 주둥이
4. [벌레 / 벌래]가 있다.
5. [갉아 / 갈가] 먹었다.
6. [담구지 / 담그지] 않았다.
7. [어두어서 / 어두워서] 무섭다.
8. [점잔을 / 점잖을] 뺐다.

나의 점수 확인하기

어휘	개 / 8개	어법	개 / 8개

3주차

회차 / 영역	제목	계획 및 점검
11 인문|설명문	높임말 바르게 사용하기 • 나는 ☐ 월 ☐ 일 ☐ 시에 공부할 것입니다.	• 독해력에서 나의 점수는 ☐ 점입니다. • 어휘력에서 맞은 문제수는 ☐ 개 / 8개 입니다. • 어려웠던 문제는 ______ 번입니다.
12 사회|논설문	울타리의 못 자국 • 나는 ☐ 월 ☐ 일 ☐ 시에 공부할 것입니다.	• 독해력에서 나의 점수는 ☐ 점입니다. • 어휘력에서 맞은 문제수는 ☐ 개 / 7개 입니다. • 어려웠던 문제는 ______ 번입니다.
13 과학|설명문	기후와 생활 • 나는 ☐ 월 ☐ 일 ☐ 시에 공부할 것입니다.	• 독해력에서 나의 점수는 ☐ 점입니다. • 어휘력에서 맞은 문제수는 ☐ 개 / 8개 입니다. • 어려웠던 문제는 ______ 번입니다.
14 산문문학|이야기	반말 왕자님 • 나는 ☐ 월 ☐ 일 ☐ 시에 공부할 것입니다.	• 독해력에서 나의 점수는 ☐ 점입니다. • 어휘력에서 맞은 문제수는 ☐ 개 / 8개 입니다. • 어려웠던 문제는 ______ 번입니다.
15 운문문학|시	도토리나무 • 나는 ☐ 월 ☐ 일 ☐ 시에 공부할 것입니다.	• 독해력에서 나의 점수는 ☐ 점입니다. • 어휘력에서 맞은 문제수는 ☐ 개 / 6개 입니다. • 어려웠던 문제는 ______ 번입니다.

• 이번 주 독해력 문제에서 나의 점수는 평균 ☐ 점입니다.

• 이번 주 어휘력에서 맞은 문제수는 모두 ☐ 개입니다.

11

예사말은 주로 또래나 나이가 어린 사람에게 하는 말이에요. 가깝고 편한 사이끼리 친하고 가까운 사이임을 표시하는 말로 예사말을 주로 쓰지요. 같은 또래더라도 여러 명과 더불어 말할 때에는 예사말이 아닌 높임말을 사용해야 해요.

1. 15점 2. 10점 3. 15점 4. 15점 5. 15점 6. 15점 7. 15점

우리말에는 높임말[1]이 잘 발달되어 있어요. 높임말을 제대로 쓸 수 있으면 훨씬 밝은 사회가 될 수 있답니다. 높임말에는 상대를 공경하는 마음이 담겨 있기 때문이지요. 그리고 또래나 아랫사람에게 말하더라도 처음 만나거나 여러 사람 앞에서 발표할 때와 같이 예의를 갖추어야 하는 자리에서는 높임말을 사용합니다.

그럼 높임말을 나타내는 방법을 알아볼까요. 높임의 뜻이 있는 낱말을 사용하는 방법이 있습니다. '말씀', '진지[2]', '뵙다', '주무시다', '잡수시다' 등은 원래 높임의 뜻이 있는 낱말이어서 이런 낱말이 들어간 문장은 높임의 뜻이 있습니다. 문장을 '–습니다'로 끝내는 방법도 있습니다. '오늘은 날씨가 좋습니다.'라고 하여 말을 듣는 사람을 높일 수 있습니다. 또 '–께'나 '–께서'를 붙여 높임을 나타내는 방법도 있답니다. '선생님께 편지를 썼다.', '할머니께서 시장에 가셨다.'에서 볼 수 있지요. 하나만 덧붙이면, '–시–'를 넣어 높이는 방법이 있답니다. '어머니께서 여행을 가셨다.'에서 확인할 수 있지요.

높임의 방법이 제법 복잡해 보이지만 이 정도만 알아도 높임말을 제대로 쓸 수 있답니다. 아름다운 우리말을 쓸 수 있도록 이만큼은 알아야지요.

❶ 높임말 사람이나 사물을 높여서 이르는 말. ❷ 진지 '밥'의 높임말.

1
주제찾기

글의 내용이 아닌 것은 어느 것인가요? ( )

① 높임말이 발달되어 있는 우리말
② 높임말을 써야 하는 이유
③ 높임말을 써야 할 때
④ 높임말을 쓰지 않아야 할 때
⑤ 높임말을 나타내는 방법

3주 11회

해설편 06쪽

2
글감찾기

글에서 글의 중심 낱말을 찾아 쓰세요.

3
사실이해

글에서 설명한 높임말을 나타내는 방법은 몇 가지입니까?

4
미루어알기

글을 읽고 떠올린 생각으로 알맞지 않은 것을 고르세요. ( )

① 예의를 갖추어서 말을 해야 한다.
② 낱말만으로 높임의 뜻을 표현할 수 있다.
③ 아랫사람에게 높임말을 쓰는 경우가 있다.
④ 높임말은 듣는 사람을 높일 때만 사용한다.
⑤ 높임말이 우리 사회를 밝은 모습으로 이끈다.

[5~6] 다음 문장을 보고 물음에 답하세요.

나는 설날에 할아버지께 세배를 드렸다.

5 세부내용

문장에서 높임을 나타내는 방법을 알맞게 설명한 것은 어느 것인가요? ······ (　　　)

① 높임을 나타내는 낱말을 사용하고 '-께'를 붙였다.
② 높임을 나타내는 낱말을 사용하고 '-습니다.'로 맺었다.
③ 높임을 나타내는 낱말을 사용하고 '-시'를 붙였다.
④ '-께'를 사람에 붙이고 움직임을 나타내는 말에 '-시-'를 붙였다.
⑤ '-시-'를 움직임을 나타내는 말에 붙이고 문장을 '-습니다.'로 맺었다.

6 적용하기

문장에서 높임을 받는 사람은 누구인지 쓰세요.

(　　　　　　　　　　　　)

7 요약하기

둘째 문단의 내용을 아래의 표로 정리했습니다. 빈칸을 채워 완성하세요.

높임을 나타내는 방법	예문
높임의 단어 사용	아버지께서 ① □□를 잡수신다.
문장을 '-습니다'로 맺기	오늘은 날씨가 ② □□□□.
'-께, ③ □□' 붙이기	아버지께서 일어나셨다.
'-④ □-' 붙이기	여행을 가셨다.

어휘 넓히기

뜻

낱말의 뜻풀이로 알맞은 것을 보기 에서 골라 괄호 안에 기호를 쓰세요.

(1) 높임말 (　　　)
(2) 예사말 (　　　)
(3) 낮춤말 (　　　)

보기
㉠ '저', '저희'처럼 상대를 높이는 뜻에서 자기와 자기가 속한 무리를 낮추어 이르는 말.
㉡ 사람이나 사물을 높여서 이르는 말.
㉢ 높이거나 낮추는 말이 아닌 보통 말.

다지기

아래 문장의 빈칸에 알맞은 낱말을 보기 에서 찾아 쓰세요.

보기
높임말　　예사말　　낮춤말

(1) 어른께 ☐☐☐을 쓰는 것은 공손하지 못한 행동이에요.
(2) '들다, 잡수다'는 모두 '먹다'의 ☐☐☐입니다.
(3) '저희 나라', '저희 민족'은 ☐☐☐을 잘못 사용한 말이에요.

넓히기

다음 한자어의 구성과 뜻을 알아보고, 빈칸에 알맞은 한자어를 쓰세요.

- **공경(恭** 공손할 공. **敬** 공경 경.) 공손히 받들어 모심.
- **예의(禮** 예절 예. **儀** 몸가짐 의.) 존경의 뜻을 표하기 위하여 나타내는 말투나 몸가짐.

(1) 웃어른을 ☐☐하여야 한다.
(2) 할아버지께 함부로 굴면 ☐☐에 어긋나는 행동이다.

시간
공부 날짜 ☐ 월 ☐ 일
푸는데 걸린 시간 ☐ 분

확인
맞은 개수 써보기

독해	개/7개	어휘	개/8개

3주 11회
해설편 06쪽

12

말은 그 말을 하는 사람의 사람됨을 이루어내는 힘을 발휘합니다. 거친 말을 하는 사람의 성품은 거칠게, 고운 말을 하는 사람의 성품은 곱게 이루어집니다. 말은 듣는 사람의 사람됨에도 영향을 미치지요. 이 글을 읽으면서 말을 조심해서 해야하는 이유를 새겨보도록 해요.

1. 15점 2. 15점 3. 15점 4. 15점 5. 10점 6. 15점 7. 15점

오늘은 선생님이 여러분에게 「울타리의 못 자국」이라는 훈화[1]를 들려주려고 합니다. 요즈음 우리 어린이들을 보면 자기 기분이 내키는 대로 친구들에게 말하거나 듣기에 매우 좋지 않은 말, 심지어 욕도 많이 쓰고 있지요. 이런 말들은 친구의 마음에 상처를 주게 되고, 그 상처는 오래도록 아물지 않습니다. 선생님이 들려주는 이야기를 잘 듣고 친구들에게 어떻게 말해야 할지 생각해 보기를 바랍니다.

어느 시골 마을에 거친 말을 자주 하는 아이가 있었습니다. 아버지는 아이의 나쁜 습관을 더는 그대로 둘 수 없었습니다. 그래서 아이가 거친 말을 할 때마다 울타리에 못을 하나씩 박게 하였습니다. 아이는 거친 말을 너무 자주 하였기 때문에 하루에도 여러 번 밖으로 나가 울타리에 못을 박아야 했습니다. 밖에 나가 울타리에 못을 박는 것은 아이에게 몹시 귀찮고 힘든 일이었습니다. 그래서 아이는 거친 말을 더는 하지 말아야겠다고 다짐하였습니다. 이후 아이의 못을 박는 횟수는 눈에 띄게 줄었고, 얼마 되지 않아 더는 울타리에 못을 박지 않아도 되었습니다.

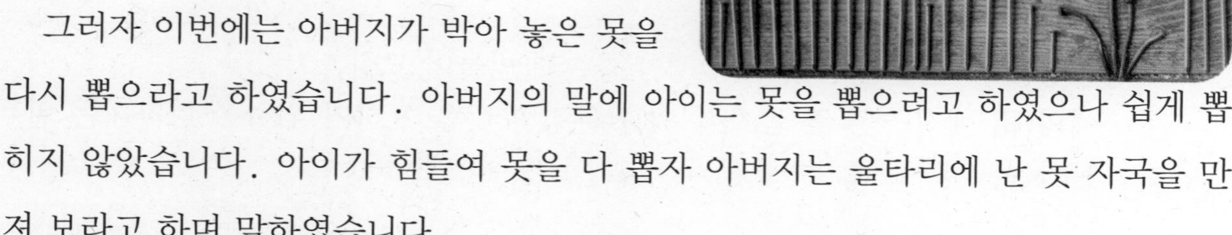

그러자 이번에는 아버지가 박아 놓은 못을 다시 뽑으라고 하였습니다. 아버지의 말에 아이는 못을 뽑으려고 하였으나 쉽게 뽑히지 않았습니다. 아이가 힘들여 못을 다 뽑자 아버지는 울타리에 난 못 자국을 만져 보라고 하며 말하였습니다.

"한 번 박힌 못은 쉽게 뽑히지 않지? (㉠) 우리가 한 말도 한 번 말하면 되돌리기가 쉽지 않단다. 그리고 여기 이 자국을 보렴. 네가 아무렇지도 않게 생각하고 한 거친 말이 다른 사람에게는 이 자국처럼 상처로 남는단다."

여러분은 친구들에게 어떻게 말하고 있나요? 이 못 자국처럼 지워지지 않는 상처가 되는 말을 하고 있지는 않나요? 친구들에게 상처가 되는 말을 하지 않기 위해 어떻게 말해야 할지 선생님이 알려 주는 방법을 잘 듣고 실천하기를 바랍니다.

첫째, 말을 하기 전에 한 번 더 생각해 봅니다. 말하기 전에 자신의 말이 못 자국처럼 상처가 되는 말이 아닐지 다시 한 번 생각하여 보는 습관을 들이도록 합시다. 둘째, 욕과 같이 듣기에 좋지 않은 말은 절대 쓰지 말아야 합니다. 욕과 같은 말은 상대의 마음을 다치게 할 뿐만 아니라 자신에게 화살로 되돌아올 수 있기 때문입니다.

㉡말은 한 번 뱉으면 주워 담을 수 없습니다. 여러분이 쓰는 거친 말이 주변 사람들에게 큰 상처가 되고 그것이 다시 자신에게 되돌아올 수 있음을 꼭 기억하고 말을 조심히 하기를 바랍니다.

❶ 훈화 교훈이나 훈시를 함. 또는 그런 말.

3주 12회

해설편 06쪽

1 주제찾기

선생님이 전하고자 한 말씀의 핵심 내용은 무엇입니까? ( )

① 좋은 말하는 습관 키우기
② 나쁜 말하는 아이들의 버릇
③ 나쁜 말이 주변에 끼치는 영향
④ 좋은 말 하는 아이와 나쁜 말하는 아이
⑤ 나쁜 말과 좋은 말을 서로 주고받는 학교생활

2 제목찾기

선생님이 들려주신 이야기의 제목을 글에서 찾아 쓰세요.

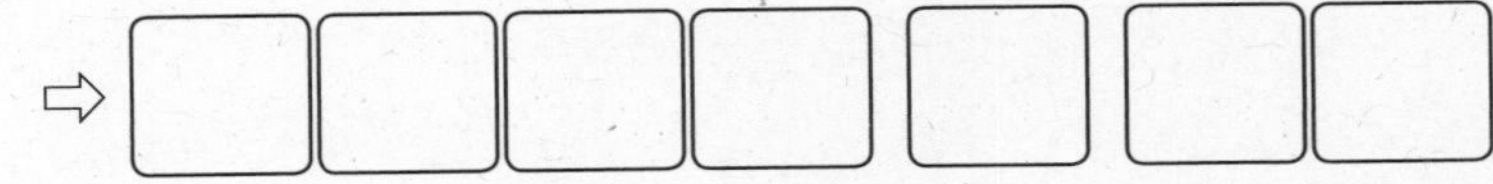

3 사실이해

'욕'과 관련하여 이 글에서 말한 내용이 아닌 것은 무엇입니까? ( )

① 듣기에 안 좋다.
② 자신에게도 해가 된다.
③ 상대의 마음을 다치게 한다.
④ 말하는 사람의 속이 후련해 진다.
⑤ 주변 사람들에게 상처를 준다.

4 미루어알기

㉠에 들어갈 말로 알맞은 것은 어느 것입니까? ( )

① 따라서 ② 이처럼
③ 그래서 ④ 그런데
⑤ 그러나

5 세부내용

㉡의 뜻풀이가 바른 것은 어느 것입니까? ( )

① 거친 말을 입에 올리기 거북합니다.
② 한 번 한 말은 되돌리기가 어렵습니다.
③ 말을 하고 시간이 지나면 잊어버립니다.
④ 나도 모르는 사이에 한 말이 습관이 됩니다.
⑤ 마주 보고 하는 말이 서로에게 상처가 됩니다.

6 적용하기

글의 짜임새를 다음과 같이 정리할 때, 빈칸에 알맞은 낱말을 고르세요. ( )

글감 소개 → 이야기 → □□ → 강조

① 담화 ② 대화
③ 훈화 ④ 설화
⑤ 실화

7 요약하기

우리가 실천하기를 부탁하는 선생님의 말씀을 간추린 아래글의 빈칸을 채우세요.

첫째, 상대방에게 ① □□가 되는 말 하지 않기. 둘째, ② □과 같이 듣기에 좋지 않은 말은 절대 쓰지 않기.

어휘 넓히기

해설편 06쪽

뜻 낱말의 뜻풀이로 알맞은 것을 보기에서 골라 괄호 안에 기호를 쓰세요.

(1) 박이다 (　　　)
(2) 박히다 (　　　)

보기
㉠ 두들겨 치이거나 틀려서 꽂히다. '박다'는 동작을 당한다[피동]는 뜻.
㉡ ①버릇, 생각, 태도 따위가 깊이 배다. ②손바닥, 발바닥 따위에 굳은살이 생기다.

다지기 문장의 빈칸에 들어갈 낱말을 보기에서 찾아 쓰세요.

보기
박이다　　박히다

(1) 모진 고생을 하여 손바닥에 딱딱한 굳은살이 □□□.

(2) 일꾼들에 의해 땅에 굵은 말뚝이 □□□.

(3) 주말마다 등산하는 버릇이 몸에 □□□.

넓히기 다음 한자어의 구성과 뜻을 알아보고, 아래의 빈칸에 알맞은 한자어를 쓰세요.

- **훈화(訓** 가르칠 훈. **話** 말씀 화.**)** 가르침이 될 만한 말을 함. 가르침이 될 만한 말.
- **습관(習** 익힐 습. **慣** 익숙할 관.**)** 오랫동안 되풀이하는 과정에서 저절로 익혀진 행동 방식.

(1) '세 살 버릇 여든 간다.'라는 속담은 □□의 중요성을 강조하고 있어요.

(2) 어른이나 선생님의 □□는 귀담아 들을 만한 가치가 있답니다.

시간 공부 날짜 □월 □일
푸는데 걸린 시간 □분

확인 맞은 개수 써보기

독해	□개/7개	어휘	□개/7개

13

날씨는 기압, 기온, 습도, 바람, 구름의 양과 모양, 강수량, 햇빛, 공기가 깨끗한 정도 등의 기상요소를 종합한 대기의 상태를 뜻해요. 이에 비해, 기후는 장기간에 걸친 날씨 변화의 종합이라고 합니다. 날씨라고 하든, 기후라고 하든 이들은 사람들의 삶에 큰 영향을 끼쳐요. 사람들이 살아가는 데 꼭 필요한 옷, 음식, 집을 결정하다시피 해요.

점수 계산 1. 15점 2. 10점 3. 15점 4. 15점 5. 15점 6. 15점 7. 15점

(가) 기후에 따라 사람들이 생활하는 모습이 다릅니다. 입는 옷, 먹는 음식, 사는 집도 기후와 깊은 관련이 있습니다. 기후에 따라 생활 모습이 어떻게 다른지 알아봅시다.

(나) 기후에 따라 입는 옷이 달라집니다. 추운 겨울에는 몸의 열을 빼앗기지 않으려고 가죽옷이나 두꺼운 털옷을 입습니다. 그러나 무더운 여름에는 몸에서 생기는 열을 내보내기 위하여 얇고 성긴 옷을 입습니다.

(다) 한복도 여름에는 몸에 잘 붙지 않도록 까슬까슬한 옷감으로 만들었습니다. 그리고 바람이 잘 통하도록 등나무로 만든 기구를 먼저 걸치고 저고리를 입기도 하였습니다. 겨울에는 추위를 견딜 수 있도록 옷감 사이에 솜을 넣은 한복을 입었습니다. 차가운 공기가 스며들지 않도록 목둘레나 소매 끝을 좁게 만들기도 하였습니다.

(라) 여름철에 수박이나 음료수를 많이 먹는 까닭은 무엇일까요? 여름철 더운 날씨 때문에 우리 몸속에 있는 수분은 땀이 되어 몸 밖으로 나갑니다. 그래서 수박처럼 물이 많은 음식을 먹어서 수분을 보충합니다. 북쪽 지방보다 남쪽 지방의 음식이 조금 더 짠 것은 남쪽 지방이 북쪽 지방보다 더 따뜻하기 때문입니다. 다시 말해, ㉠남쪽 지방이 북쪽 지방보다 소금을 조금 더 많이 넣는 것은 따뜻한 기후에서 오랫동안 음식을 신선하게 보관하기 위해서입니다. 이처럼 우리가 먹는 음식도 기후와 관련이 있습니다.

(마) 우리가 사는 집도 기후에 따라 다릅니다. 눈이 많이 오는 지역으로 잘 알려진 울릉도에서는 투막집이라는 독특한 집을 짓습니다. 투막집은 집 둘레를 옥수숫대 등으로 촘촘히 둘러싸서 눈이 들어오지 못하도록 지은 집입니다. 그래서 큰

눈이 와도 그 안에서는 불편이 없이 생활할 수 있습니다.

(바) ㉡이처럼 우리의 생활은 기후와 관련이 깊습니다. 이제는 과학이 발달해서 기후의 영향을 덜 받게 되었지만, 여전히 우리 생활 속에는 기후에 슬기롭게 적응하면서 살아가는 모습이 있습니다.

해설편 07쪽

1 주제찾기

글의 중심 내용을 가장 잘 정리한 문장은 어느 것입니까? ( )

① 기후는 생활에 큰 영향을 끼친다.
② 생활하는 모습에 따라 기후를 선택한다.
③ 기후가 먹고, 입고, 잠자는 시간을 결정한다.
④ 계절에 따라 마시는 음료수의 양이 달라진다.
⑤ 북쪽 지방 사람들이 남쪽 지방 사람들보다 잘 산다.

2 제목찾기

글에 나온 낱말로 빈칸을 채워 글의 제목을 완성하세요.

기후와 □□

3 사실이해

글의 짜임새를 아래와 같이 정리했을 때, (가)~(바) 중, 몸통에 속하는 것을 모두 모아 놓은 것은 어느 것입니까? ( )

머리 : 무엇을 설명할 것인지 소개합니다.
몸통 : 여러 가지 방법으로 자세히 설명합니다.
맺음 : 설명한 내용을 요약합니다.

① (가), (나)
② (나), (다)
③ (나), (다), (라)
④ (나), (다), (라), (마)
⑤ (다), (라), (마)

4
미루어알기

(나)~(다)에서 중심 문장의 내용을 뒷받침하는 방법은 무엇입니까? ( )

① 예를 들기
② 까닭을 말하기
③ 차이점으로 견주기
④ 같은 부류로 묶어가기
⑤ 비슷한 것들을 서로 견주기

5
세부내용

㉡의 구실을 알맞게 설명한 것은 어느 것입니까? ( )

① 둘을 비교하도록 한다.
② 뒷받침문장을 놓도록 한다.
③ 앞의 내용을 요약하도록 한다.
④ 앞과 같은 내용을 반복하도록 한다.
⑤ 앞과 비슷한 말을 하겠다는 약속이다.

6
적용하기

보기의 낱말을 활용하여 ㉠과 같은 뜻이 되도록 아래의 빈칸을 채우세요.

보기

높다 낮다

상대적으로 기온이 ① ☐☐ 지방에 비하여 ② ☐☐ 지방의 음식이 조금 더 짠 것

7
요약하기

빈칸에 알맞은 낱말을 글에서 찾아 글 전체의 내용을 요약해 보세요.

기후는 우리의 ① ☐, ② ☐☐, ③ ☐과 같은 생활의 모든 방면에 큰 영향을 끼친다.

어휘 넓히기

뜻

낱말의 뜻풀이로 알맞은 것을 보기 에서 골라 괄호 안에 기호를 쓰세요.

(1) 성기다 (　　　)
(2) 기후　 (　　　)
(3) 투막집 (　　　)

보기
㉠ 일정 지역에서 여러 해에 걸쳐 나타난 기온, 비, 눈, 바람 따위의 평균 상태.
㉡ 울릉도의 통나무집.
㉢ 물건의 사이가 뜨다.

다지기

보기 에서 알맞은 낱말을 골라 글의 빈칸에 쓰세요.

보기
기후　　투막집　　성기다

(1) 최근 ☐☐ 변화로 인해 해남에서 파인애플이 생산되고 있다.

(2) 삼베는 조직이 ☐☐☐.

(3) 울릉도의 전통가옥인 ☐☐☐은 강원도에선 '귀틀집', '틀목집'이라고도 한다.

넓히기

다음 한자어의 구성과 뜻을 알아보고, 빈칸에 알맞은 한자어를 쓰세요.

- **한복(韓** 대한민국 한. **服** 옷 복.) 우리나라의 고유한 옷. 특히 조선 시대에 입던 모양의 옷을 이르며, 현재는 평상복보다는 격식을 차리는 자리에서 주로 입는다.
- **음식(飮** 마실 음. **食** 밥 식.) 사람이 먹을 수 있도록 만든, 밥이나 국 따위의 물건.

(1) 아우의 결혼식에 격식을 차리느라고 형은 ☐☐을 입었다.

(2) 요즘 학생들은 ☐☐ 귀한 줄을 모르는지 급식을 많이 남긴다.

시간 공부 날짜 　월 　일
푸는데 걸린 시간 　분

확인 맞은 개수 써보기

독해	개/7개	어휘	개/8개

3주 13회

해설편 07쪽

14

'반말'에는 다음과 같은 두 가지 뜻이 있어요. 첫째, 말을 주고받는 두 사람 사이의 관계가 분명치 아니하거나 매우 친밀할 때 쓰는, 높이지도 낮추지도 아니하는 말이라는 뜻이에요. 둘째, 손아랫사람에게 하듯 낮추어하는 말이라는 뜻이에요.

1. 15점 2. 10점 3. 15점 4. 15점 5. 15점 6. 15점 7. 15점

[앞의 줄거리] 마트에서 엄마는 범수에게 높임말을 써 말하였고, 범수는 기분이 좋았습니다. 그런데 마트에서 만난 어떤 할머니께서는 엄마가 아들에게 높임말을 한다고 못마땅해하셨습니다. 주변의 다른 사람들도 범수와 엄마를 이상하게 쳐다보자 범수의 기분은 점점 엉망이 되어 갔습니다. 마트에서 집으로 돌아온 뒤, 엄마는 범수가 좋아하는 떡볶이를 만들어주셨습니다.

"와, 떡볶이다. 엄마, 저도 많이 담아 주세요."

학교에서 돌아온 누나가 코를 벌름거리며 범수와 마주 앉았어요.

"은수야, 손부터 씻고 와야지. 많이 있으니까 얼른 손 씻고 와." / "네."

대답과 함께 누나는 화장실로 후다닥 달려갔어요.

범수는 엄마의 높임말을 받지 않는 누나가 갑자기 부러워졌어요.

"엄마, 왜 누나한테는 반말 써? 나한테도 반말 써라. 할머니도 그래라. 응?"

범수가 사정하는 눈빛을 보냈지만, 엄마는 웃으며 한마디로 거절하였어요.

"아드님은 누나랑 다르시잖아요. 누나는 엄마한테 높임말을 쓰지만, 아드님은 그렇지 않으시니까요." / 손을 씻고 온 누나가 무슨 일인가 싶어 떡볶이를 먹다 말고 범수와 엄마를 번갈아 보았어요. 그러고는 곧 눈치챘다는 듯 깔깔대고 웃었어요.

범수는 그런 누나가 얄미워 소리를 버럭 질렀어요. / "시끄러워! 뭐가 웃기다고 그래?"

범수의 반말에 누나가 째려보더니 빈정대며 말하였어요.

"동생님, 태권도 늦으시겠네요. 얼른 가기나 하세요." / "이게!"

범수가 누나에게 주먹을 쥐어 보이자, 누나는 혀를 쏙 내밀었어요.

"은수야, 우리 장손 범수님 체하시겠다. 약 올리지 마라."

할머니가 범수 편을 들어주었지만 범수는 하나도 기쁘지 않았어요.

시계를 보니 벌써 세 시가 가까워 오고 있었어요. 태권도장에 가려고 범수가 일어서자, 엄마도 범수를 따라나섰어요.

"아드님, 저도 같이 가요. 오늘 사범님께 드릴 말씀도 있고, 학원비도 내야 해서요. 어머님, 저 잠깐 다녀오겠습니다." / "그래, 우리 손자님도 조심해서 다녀오세요."

태권도장에 가니까 벌써 아이들이 준비 운동으로 줄넘기를 하고 있었어요. 범수가 왔는데도 ㉠□□□ 맞아 주는 친구는 하나도 없었어요. 다른 아이들이 조금 늦게 오면

기다렸다는 둥 왜 이렇게 늦었느냐는 둥 온갖 참견을 하는데 말이지요.

"사범님, 죄송해요. 우리 범수 아드님이 조금 늦으셨죠?"

엄마가 사범님에게 반갑게 인사를 하였지만, 사범님은 ㉡□□□□ 표정으로 엄마를 쳐다보았어요. / "네? 아, 뭐……, 네."

사범님은 처음 들어 본 엄마의 이상한 말투에 웃어야 할지 말아야 할지 몰라 머뭇거렸어요. / "우리 아드님의 학원비를 드려야 했는데, 조금 늦었어요. 죄송합니다."

엄마는 사범님에게 학원비를 건네고는 범수를 향하여 활짝 웃으며 말하였어요.

㉢"아드님, 오늘도 운동 열심히 하세요. 저는 먼저 갈게요." / "몰라, 빨리 가!"

범수는 엄마가 창피해서 눈도 마주치지 않았어요. 다른 아이들이 킥킥대며 수군거리는 통❶에 범수는 얼굴이 빨개졌어요.

"최범수, 뭐야? 너희 엄마는 네 하녀냐?" / "그러게, '아드님, 아드님' 하는 거 너도 봤지?" / 아이들이 놀리자 범수는 더는 참지 못하고 발끈해 소리를 질렀어요.

"웃기지 마! 그런 거 아니야!" / "아니긴 뭐가 아니야? 그럼 왜 너한테 높임말을 쓰냐? 너는 엄마한테 그렇게 반말을 팍팍 하는데."

"하녀 아니야! 우리 엄마야!" / 소리치는 범수의 목이 갑자기 콱 메었어요.

❶ 통 어떤 일이 벌어진 환경이나 판국

3주 14회 해설편 07쪽

1 주제찾기

글을 읽고 얻을 수 있는 깨달음은 무엇입니까? ( )

① 누나에게 대들어서는 안 된다.
② 가족 사이에 화목해야 한다.
③ 웃어른께 높임말을 해야 한다.
④ 할머니께 효도를 해야 한다.
⑤ 엄마에게 귀엽게 굴어야 한다.

2 제목찾기

글에 나온 낱말로 빈칸을 채워 제목을 붙이세요.

⇨ □□ 왕자님

3
사실이해

등장인물에 관한 설명 중 잘못된 것은 어느 것입니까? ( )

① 어머니는 범수의 나쁜 말버릇을 고쳐 주려고 합니다.
② 범수는 웃어른께 반말을 하는 버릇이 있는 어린이입니다.
③ 할머니는 범수의 말버릇을 고치려 꾸중을 자주 하십니다.
④ 누나는 할머니와 엄마가 범수에게 높임말을 하는 까닭을 압니다.
⑤ 사범님은 엄마가 범수에게 높임말을 쓰는 것을 보고 어리둥절합니다.

4
미루어알기

㉠과 ㉡에 알맞은 낱말을 보기 에서 찾아 순서에 따라 쓰세요.

보기
달갑잖은, 반갑게, 얼떨떨한, 우습게, 얄밉게, 어수룩한, 사납게

⇨ ㉠ □□□ ㉡ □□□□

5
세부내용

이야기에 가장 자주 등장한 사람 둘을 쓰세요.

( )

6
적용하기

㉢을 보통의 집에서 엄마가 하는 말로 고쳐 쓰세요.

( )

7
요약하기

글에 나타난 범수의 마음의 변화를 정리했습니다. 빈칸을 채우세요.

가족들이 모두 ① □□□을 사용해서 어색하고 기분이 나쁨.
→ 태권도장에서 친구들이 엄마를 ② □□라고 놀려서 화가 남.

어휘 넓히기

뜻 **낱말의 뜻풀이로 알맞은 것을 보기 에서 골라 괄호 안에 기호를 쓰세요.**

(1) 깨작거리다 (   )

(2) 벌름거리다 (   )

(3) 수군거리다 (   )

보기
㉠ 말랑말랑한 물체가 부드럽고 넓게 자꾸 벌어졌다 오므러졌다 하다. 또는 그렇게 되게 하다.
㉡ 남이 알아듣지 못하도록 낮은 목소리로 자꾸 가만가만 이야기하다.
㉢ 조금 달갑지 않은 음식을 자꾸 억지로 굼뜨게 먹다.

3주 14회

해설편 07쪽

다지기 **다음 문장의 빈칸에 들어갈 낱말을 보기 에서 찾아 쓰세요.**

보기
깨작거렸다　　벌름거렸다　　수군거렸다

(1) 아이들은 겁이 나서 교실 구석으로 가서 ☐☐☐☐☐.

(2) 먹이통을 가져가니까 돼지들이 꿀꿀대면서 코를 ☐☐☐☐☐.

(3) 친구는 이미 배가 부른지 음식을 받아놓고는 ☐☐☐☐☐.

넓히기 **다음 한자어의 구성과 뜻을 알아보고, 빈칸에 알맞은 한자어를 쓰세요.**

- **대답(對** 대할 대. **答** 대답 답.) 부르는 말에 응하여 어떤 말을 함. 또는 그 말.
- **표정(表** 겉 표. **情** 뜻 정.) 마음속에 품은 느낌이나 생각이 겉으로 드러남. 그렇게 드러난 얼굴의 모습.

(1) 사람의 ☐☐을 보면, 그 사람이 어떤 생각을 하고 있는지 짐작해 볼 수 있어요.

(2) 누가 부르거나 물어보면 ☐☐을 해야 바른 자세예요.

시간 **공부 날짜** ☐ 월 ☐ 일
푸는데 걸린 시간 ☐ 분

확인 **맞은 개수 써보기**

독해	☐ 개/7개	어휘	☐ 개/8개

15

상상하는 힘은 사람이 지닌 뛰어난 힘입니다. 상상력은 아주 새로운 생각을 해 낼 수 있는 힘이라고 볼 수 있습니다. 도토리나무가 도토리를 떨어뜨리는 자연 현상을 보고 도토리나무가 다람쥐를 위하여 일부러 도토리를 떨어뜨리는 것이라고 보았다면 상상력이 발휘된 것이지요.

1. 15점 2. 15점 3. 10점 4. 15점 5. 15점 6. 15점 7. 15점

도토리나무가 다람쥐들을 위해
도토리 한 알
땅바닥에 떨구어 주었다.

어디로 떨어졌는지 몰라
어미 다람쥐 아기 다람쥐
서로 바라보고 있다.

도토리나무가 안타까운 듯
어디로 떨어졌는지 가르쳐 주려고
자꾸만 나뭇잎을 흔들고 있다.

1 주제찾기

시의 '도토리나무'에서 떠올릴 수 있는 사람의 모습은 어느 것입니까? ········ (   )

① 나만 편해지려는 사람
② 나의 이익만 좇는 사람
③ 나의 부모에 효도하는 사람
④ 남의 딱한 처지에 동정하는 사람
⑤ 남의 처지에 아랑곳하지 않는 사람

3주 15회

해설편 08쪽

2 글감찾기

글감이 무엇인지 시에서 찾아 쓰세요.

⇨ □□□□□

3 사실이해

시에서 사람처럼 느끼고 행동하는 것은 무엇입니까? ········ (   )

① 도토리나무
② 땅바닥
③ 어미 다람쥐
④ 아기 다람쥐
⑤ 나뭇잎

4 미루어알기

아래의 글은 이 시에 대한 설명입니다. 시에 나온 낱말로 빈칸을 채우세요.

시를 쓴 사람은 도토리나무에서 ① □□□가 떨어지는 것을 보고, 도토리나무가 ② □□□들을 위해 도토리를 떨어뜨리는 것이라고 상상하여 시를 썼습니다.

5
세부내용

시의 모양이 보여주는 특징을 알맞게 설명한 것은 어느 것입니까? ············ (　　)

① 긴 행과 짧은 행이 번갈아 나타난다.
② 연을 차지하고 있는 행의 수가 모두 같다.
③ 이야기를 전하는 글처럼 길게 이어지고 있다.
④ 연을 차지하고 있는 행의 길이가 점점 길어진다.
⑤ 1연보다 2연이 낱말 수가 많고 3연은 이보다 더 많다.

6
적용하기

시에 나타난 풍경을 그림으로 그리려 합니다. 그림의 중심에 놓아야 할 배경은 무엇입니까? ············ (　　)

① 도토리나무
② 도토리
③ 땅바닥
④ 아기 다람쥐
⑤ 나뭇잎

7
요약하기

시의 내용 흐름을 아래와 같이 간추렸어요. 빈칸에 알맞은 낱말을 시에서 찾아 쓰세요.

1연	① □□□에 떨어진 도토리 한 알.
	↓
2연	② □□□를 찾는 어미 다람쥐와 아기 다람쥐.
	↓
3연	③ □□□을 흔들고 있는 도토리나무.

어휘 넓히기

뜻 낱말의 뜻풀이로 알맞은 것을 보기에서 골라 괄호 안에 기호를 쓰세요.

(1) 나뭇잎 (　　　)

(2) 땅바닥 (　　　)

보기
㉠ 땅의 거죽. '땅'과 '바닥'이라는 두 개의 낱말이 합쳐져 한 개의 새로운 낱말이 되었어요.
㉡ 나무의 잎. '나무'와 '잎'이라는 두 개의 낱말이 합쳐져 한 개의 새로운 낱말이 되었어요.

3주 15회

해설편 08쪽

다지기 보기에서 고른 낱말로 다음 문장의 빈칸을 채우세요.

보기
땅바닥　　나뭇잎

(1) [　][　][　]에는 '나무'와 '잎'이라는 낱말의 뜻이 모두 잘 드러납니다.

(2) [　][　][　]에는 '땅'에 비해 '바닥'이라는 낱말의 뜻이 온전하게 드러나지 않습니다.

넓히기 다음 한자어의 구성과 뜻을 알아보고, 빈칸에 알맞은 한자어를 쓰세요.

- **교육(敎** 가르칠 교, **育** 기를 육.) 가르치다. 모르는 것을 알게 하여 길러 주다.
- **지시(指** 가리킬 지, **示** 보일 시.) 가리키다. 손가락질하여 보게 하다.

(1) 손가락으로 방향이나 물건이 있는 곳을 가리킬 때는 '[　][　]하다'라고 합니다.

(2) 모르는 것을 알게 하거나 올바른 방향으로 이끄는 것을 '[　][　]하다'라고 합니다.

시간 **공부 날짜** [　]월 [　]일
푸는데 걸린 시간 [　]분

확인 **맞은 개수 써보기**

독해	[　]개/7개	어휘	[　]개/6개

어휘·어법 총정리 3주차

어휘

보기 의 낱말을 보고, 뜻과 어울리는 것을 골라 아래의 빈칸에 써보세요.

보기 아랫사람 내키다 빈정대다 오래도록 귀찮다 하수인 거칠다 실천하다

1. 시간이 많이 지나도록.
2. 일을 하는 태도나 솜씨가 야무지지 못하다.
3. 하고 싶은 마음이 생기다.
4. 생각한 바를 실제로 행하다.
5. 자기보다 지위나 신분이 낮은 사람.
6. 마음에 들지 아니하고 괴롭거나 성가시다.
7. 남을 은근히 비웃는 태도로 자꾸 놀리다.
8. 남의 밑에서 졸개 노릇을 하는 사람.

어법

다음 중 맞춤법에 맞는 것을 골라 동그라미 하세요.

1. 예의를 [가추다 / 갖추다].
2. 종이에 종이를 [덧부쳤다 / 덧붙였다].
3. 울타리에 난 못 [자국 / 자욱].
4. [굳은살 / 궂은살]이 박이다.
5. 욕은 마음을 [닫히게 / 다치게] 한다.
6. [옥수수대 / 옥수숫대]를 자르다.
7. [떡복기 / 떡볶이]를 좋아하니?
8. 습관을 [들이도록 / 드리도록] 하자.

확인 나의 점수 확인하기

어휘	개 / 8개	어법	개 / 8개

4주차

회차 / 영역	제목	계획 및 점검
16 인문|논설문	왜 띄어 써야 돼? • 나는 [ ]월 [ ]일 [ ]시에 공부할 것입니다.	• 독해력에서 나의 점수는 [ ]점입니다. • 어휘력에서 맞은 문제수는 [ ]개/6개 입니다. • 어려웠던 문제는 ______ 번입니다.
17 사회|설명문	장신구, 노리개 • 나는 [ ]월 [ ]일 [ ]시에 공부할 것입니다.	• 독해력에서 나의 점수는 [ ]점입니다. • 어휘력에서 맞은 문제수는 [ ]개/6개 입니다. • 어려웠던 문제는 ______ 번입니다.
18 과학|설명문	동물의 몸을 모방한 기술 • 나는 [ ]월 [ ]일 [ ]시에 공부할 것입니다.	• 독해력에서 나의 점수는 [ ]점입니다. • 어휘력에서 맞은 문제수는 [ ]개/6개 입니다. • 어려웠던 문제는 ______ 번입니다.
19 산문문학|이야기	꼴찌라도 괜찮아 • 나는 [ ]월 [ ]일 [ ]시에 공부할 것입니다.	• 독해력에서 나의 점수는 [ ]점입니다. • 어휘력에서 맞은 문제수는 [ ]개/6개 입니다. • 어려웠던 문제는 ______ 번입니다.
20 운문문학|시	발가락 • 나는 [ ]월 [ ]일 [ ]시에 공부할 것입니다.	• 독해력에서 나의 점수는 [ ]점입니다. • 어휘력에서 맞은 문제수는 [ ]개/8개 입니다. • 어려웠던 문제는 ______ 번입니다.

• 이번 주 독해력 문제에서 나의 점수는 평균 [ ]점입니다.

• 이번 주 어휘력에서 맞은 문제수는 모두 [ ]개입니다.

16

'고양이가방에들어간다.'처럼 모든 단어가 띄어쓰기 하지 않고 붙어버린다면 글을 읽을 때, 얼마나 불편할까요? '고양이가 방에 들어간다.'라고 하고 싶은 걸까요, '고양이 가방에 들어간다.'라고 하고 싶은 걸까요?

1. 15점 2. 15점 3. 10점 4. 15점 5. 15점 6. 15점 7. 15점

"틀렸어! 이것도 틀렸잖아! 몇 살인데 아직도 띄어쓰기 하나 제대로 못 하니? 다시 써 봐!"

이번엔 엄마가 내 쓰기 공책을 보고 버럭 소리를 질렀어요. 나는 씩씩거리며 한 글자씩 써 내려 갔어요.

엄마 가방에 들어가신다.

눈을 부릅뜨고 지켜보던 엄마가 여행용 가방 속으로 들어가 버렸어요. 엄마가 소리치는데, 잘 안 들려요.

"야, 틀렸잖아. 제대로 안 쓰면 읽는 사람이 곤란해진다고. 빨리 다시 써 봐!"

소파에 앉아 있던 아빠가 말했어요. 이번엔 아빠 이야기로 다시 썼어요.

아빠 가방에 들어가신다.

그러자 아빠도 커다란 배낭 속으로 들어가 버렸어요. 엄마랑 아빠 대신 가방 두 개가 날 노려보았어요. 여행용 가방이 스륵스륵, 커다란 배낭이 꿈틀꿈틀, 내 방문 앞까지 쫓아왔어요.

"틀렸어! 틀렸잖아! 빨리 제대로 안 띄어 써!"

어렴풋이 엄마 아빠 목소리가 들렸어요.

"내가 조금 심했나?"

나는 다시 쓰기 공책에 썼어요.

엄마랑 아빠가 방에 들어가신다.

엄마랑 아빠가 내 방으로 들어왔어요. 아빠가 흐르는 땀을 닦으며 말했어요.

"휴, 힘들어 죽겠네. 그래, 그렇게 띄어 써야지."

엄마, 아빠가 다시 눈을 부릅뜨며

"이것도 써 봐!" / 하고는 쓰기 공책을 가리켰어요.

나는 다시 연필을 잡고 한 글자씩 써 나갔어요.

아빠 가죽을 드신다.

아빠가 가죽 허리띠를 우적우적 씹어 먹었어요.

나는 너무너무 웃겨서 바닥에서 데굴데굴 구르며, 배를 잡고 깔깔 웃었어요.

아빠가 가죽을 우물우물 씹으며 소리를 질렀어요.

"들려서! 발리 죄대로 안 디여 서!"

아마 "틀렸어! 빨리 제대로 안 띄어 써!"인가 봐요.

나는 아빠에게 살짝 미안한 마음이 들었어요.

나는 잠깐 고민하다가 다시 쓰기 공책을 적었어요.

(㉠) / "그래, 그렇게 띄어 써야 맞는 거야."

그렇게 하루가 저물었어요. 엄마랑 아빠가 엄청 지쳐 보였어요.

"앞으론 잘 띄어 쓸게."

나는 웃으며 말했어요. 이건 말이에요. 절대로 내가 틀려서가 아니라 엄마, 아빠가 힘들어해서 그러는 거예요. 앞으론 어렵지만 잘 띄어 써야 할 것 같아요.

4주 16회

해설편 08쪽

1 주제찾기

글쓴이의 중심 생각을 담고 있는 문장을 찾아 빈칸에 알맞은 낱말을 쓰세요.

⇨ 앞으론 어렵지만 [ ] [ ][ ] [ ][ ] 할 것 같아요.

2 글감찾기

글감을 알려주는 낱말을 글에서 찾아 쓰세요.

[ ][ ][ ][ ]

3 사실이해

글에서 띄어쓰기를 잘못하여 말썽을 일으킨 사람은 누구입니까? ( )

① 나 ② 아빠 ③ 엄마

④ 선생님 ⑤ 엄마랑 아빠

4
미루어알기

㉠에 들어갈 알맞은 문장은 어느 것인가요? ( )

① 아빠 가죽을 드신다.
② 아빠가 죽을 드신다.
③ 아빠가 죽을 씹어 먹었다.
④ 아빠가 가죽을 손에 들었다.
⑤ 아빠가 밥 대신 죽을 드셨다.

5
세부내용

글에서 '나'가 띄어쓰기를 잘못한 까닭은 무엇입니까? ( )

① 낱말과 낱말 사이를 띄어 쓰지 못해서.
② 마침표나 쉼표 뒤에 오는 말을 띄어 쓰지 못해서.
③ '은/는', '이/가'를 앞말에 붙여 쓸지 띄어 쓸지 몰라서.
④ 수를 나타내는 말과 단위를 나타내는 말 사이를 띄어 쓰지 못해서.
⑤ '대로', '만큼'과 같은 낱말의 뜻을 알지 못해서.

6
적용하기

띄어 써야 할 위치에 V표를 해 보세요.

거울은닦으면닦을수록깨끗해지고,글은다듬어고치면고칠수록좋아집니다.

7
요약하기

보기 에서 낱말을 골라 글의 중심 내용을 요약해보세요.

보기
띄어쓰기 붙여쓰기 책임감 중요성

⇨ 가족 사이에서 일어난 일을 통해 ① □□□□의 ② □□□을 강조했어요.

어휘 넓히기

뜻

낱말의 뜻풀이로 알맞은 것을 보기에서 골라 괄호 안에 기호를 쓰세요.

(1) 가방 (　　　)
(2) 배낭 (　　　)

보기
㉠ 물건을 넣어서 등에 질 수 있게 헝겊·가죽 따위로 만든 가방. 한자어 '背囊(배낭)'에서 유래. 지금은 순우리말인 것처럼 알고 씀.
㉡ 물건을 넣어 들거나 메고 다닐 수 있게 만든 용구. 일본어 'kaban[鞄]'에서 유래. 지금은 순우리말인 것처럼 알고 씀.

다지기

보기에서 낱말을 골라 빈칸을 채우세요.

보기
배낭　　가방

(1) 물건을 넣어 등 뒤에 매는 [ ][ ]은 한자어에서 비롯된 말이에요.

(2) 속에 물건을 넣어 손에 들고 다니는 [ ][ ]은 일본어에서 비롯된 말이에요.

넓히기

다음 한자어의 구성과 뜻을 알아보고, 빈칸에 알맞은 한자어를 쓰세요.

- **공책(空** 텅 빌 공. **冊** 책 책.**)** 글씨를 쓰거나 그림을 그리도록 백지로 매어 놓은 책.
- **연필(鉛** 납 연. **筆** 붓 필.**)** 흑연과 점토의 혼합물을 구워 만든 가느다란 심을 속에 넣고, 겉은 나무로 둘러싸서 만든 필기도구.

(1) 우리는 [ ][ ]을 손에 쥐고 바른 자세로 글씨를 씁니다.

(2) 그림을 그리거나 글씨를 쓰기위해 [ ][ ]이 필요해요.

시간 공부 날짜 [ ]월 [ ]일
푸는데 걸린 시간 [ ]분

확인 맞은 개수 써보기

독해	개/7개	어휘	개/6개

해설편 08쪽

17

노리개는 저고리고름이나 치마허리에 차는 부녀자들의 장신구예요. 노리개는 띠돈·끈 및 몸통이 되는 패물·매듭·술 등으로 이루어져요. 몸통이 되는 패물은 한 개 또는 세 개를 다는데, 한 개로 된 노리개는 단작노리개, 세 개가 한 벌로 된 노리개는 삼작노리개라 불렀어요.

점수 계산 1. 15점 2. 15점 3. 15점 4. 15점 5. 10점 6. 15점 7. 15점

노리개는 여성의 몸치장을 위해 한복 저고리의 고름이나 치마허리 등에 다는 장신구였어요. 예부터 허리에 매달아 사용하다가 조선 시대에 들어오며 대부분 저고리의 고름에 달게 되었어요. 은이나 산호, 옥과 같은 보석이나 곱게 수를 놓은 비단 주머니를 널리 애용하였다고 해요. 나라의 중요한 의식이나 집안에 경사가 있을 때 달았고, 간단한 것은 평상시에도 달았는데 양반들은 노리개를 자손 대대로 물려주어 ㉠가풍을 전하기도 하였답니다.

노리개는 기본적으로 '끈, 보석, 매듭, 술'로 이루어졌으며, 이 한 묶음을 '작'이라고 해요. 노리개에 무엇을 매다느냐에 따라 그 쓰임이 다양했어요. 향을 넣은 집을 매단 향 노리개는 몸에서 좋은 향이 나도록 돕고 나쁜 기운을 쫓고 뱀에게서 몸을 보호해 주었어요. 그 속에 든 향을 물에 타 마시면 급한 체증에도 효험[1]이 있는 구급약품이었어요.

〈출처 : 이범수 – 한국관광공사〉

또, 바늘을 넣는 바늘집노리개도 있어요. 바늘을 보관하기 위한 바느질 용구로 바늘이 녹슬지 않게 하려고 바늘집 속에 머리카락이나 분가루를 넣고 사용하였다고 해요.

가장 유명한 노리개는 은장도 노리개인데, 자신을 지키는 호신용으로 사용되었다고 해요. 은장도의 재료는 은이고 칼날은 강철이며, 칼에 '일편단심'[2]이라는 글씨를 새기기도 하였답니다. 또 은젓가락이 달린 경우가 있는데, 밖에서 식사하게 되는 경우 젓가락으로 사용하였고, 음식에 독이 있는지를 알아보기 위한 도구로 사용하기도 했다는 얘기도 있어요.

이렇게 살펴보니 노리개를 차는 이유가 단순히 장식적인 의미가 아니라는 걸 알

겠죠? 노리개는 보기에는 섬세하고 화려한 장식이기도 하지만, 단순히 장식적인 의미를 넘어 그 당시 생활상과 정성, 바람이 담겨 있었답니다.

낱말 풀이 ❶ 효험 일의 좋은 보람. 또는 어떤 작용의 결과. ❷ 일편단심 한 조각의 붉은 마음이라는 뜻으로, 진심에서 우러나오는 변치 아니하는 마음을 이르는 말.

1 주제찾기

글에서 적당한 낱말을 찾아 글의 주요 내용을 완성해보세요.

⇨ 노리개의 주된 용도는 [ ][ ][ ]이지만, 때로는 당시의 [ ][ ][ ]과 정성, 바람을 담기도 하였다.

2 제목찾기

빈칸에 알맞은 낱말을 보기 에서 찾아 제목을 완성하세요.

보기

노리개, 장신구, 호신용, 쓰임, 재능, 도구

⇨ [ ][ ][ ]의 [ ][ ]

3 사실이해

글에 나타난 내용이 아닌 것은 무엇인가요? ( )

① 노리개는 허리에 매달아 사용했다.
② 노리개는 농사에 꼭 필요한 물건이었다.
③ 노리개 표면에는 글씨를 새기기도 했다.
④ 노리개 중에는 바늘을 보관하는 것이 있었다.
⑤ 노리개는 재료가 다른 네 부분으로 이루어졌다.

해설편 09쪽

4 미루어알기

글을 읽고 떠올린 생각으로 알맞은 것은 어느 것입니까? ··········· (　　)

① 예나 지금이나 의생활에 변화가 없다.
② 옛날 사람들은 훨씬 편한 의생활을 했다.
③ 입거나 걸치는 물건은 시대에 따라 변한다.
④ 신발 모양은 기후에 따라 크게 바뀐다.
⑤ 장신구는 모든 사람이 좋아한다.

5 세부내용

음식에 독이 있는지 알아보는 데 사용한 도구는 무엇입니까? ··········· (　　)

① 저고리 고름　　② 비단 주머니
③ 향 노리개　　④ 바늘집 노리개
⑤ 은젓가락

6 적용하기

㉠의 뜻을 알아내기 위한 방법으로 알맞은 것은 어느 것입니까? ··········· (　　)

① 큰 소리로 반복해서 읽는다.
② 글 전체를 끝까지 계속 읽는다.
③ 친구에게 뜻이 무엇인지 물어본다.
④ 같은 낱말이 나온 문장을 기억해본다.
⑤ 앞뒤에 놓인 말과 연결지어 뜻을 짐작하여 본다.

7 요약하기

글의 주요 내용을 아래 표로 정리하려 합니다. 빈칸을 채워 완성하세요.

	종류	쓰임
노리개	향 노리개	향을 내거나 몸을 보호 구급약품
	① □□□ 노리개	바느질 용구
	은장도 노리개	② □□□

어휘 넓히기

낱말의 뜻풀이로 알맞은 것을 보기 에서 골라 괄호 안에 기호를 쓰세요.

(1) 쓰임 (　　　)
(2) 바람 (　　　)

보기
㉠ 돈이나 물건 따위가 실제로 사용되는 곳. '쓰이다'라는 낱말에서 모양을 바꾸어 만들었어요.
㉡ 어떤 일이 이루어지기를 기다리는 간절한 마음. '바라다'라는 낱말에서 모양을 바꾸어 만들었어요.

보기 에서 알맞은 낱말을 찾아 아래의 빈칸을 모두 채우세요.

보기
쓰기　　쓰임　　바람　　바램

(1) '쓰이다'에서 온 말이라면, '쓰기'가 아니고, '□□'이 맞습니다.

(2) '바라다'에서 온 말이기 때문에 '바램'은 틀리고, '□□'이 맞습니다.

넓히기

다음 한자어의 구성과 뜻을 알아보고, 빈칸에 알맞은 한자어를 쓰세요.

- **장신구(裝** 꾸밀 장. **身** 몸 신. **具** 갖출 구.) 몸치장을 하는 데 쓰는 물건. 반지, 귀고리, 노리개, 목걸이, 팔찌, 비녀, 브로치, 넥타이핀 따위를 통틀어 이르는 말.
- **호신용(護** 지킬 호. **身** 몸 신. **用** 쓸 용.) 몸을 보호하는 데 쓰는 것.

(1) 그 원주민들은 뼈로 목걸이와 같은 □□□를 만든다.

(2) 조선시대 여인들은 때로 □□□으로 은장도나 작은 칼을 지니고 다녔습니다.

공부 날짜 □월 □일
푸는데 걸린 시간 □분

맞은 개수 써보기

독해	개/7개	어휘	개/6개

4주 17회
해설편 09쪽

18

동물이나 곤충, 물고기 등의 생김새와 특징을 본떠 생활에 유용한 여러 가지 발명품을 만들어 내었습니다. 최첨단 기술이 필요한 로봇도 동물을 본떠 만든다고 해요. 다음 글을 읽고 동물을 본떠 만든 로봇을 함께 살펴봅시다.

점수 계산 1. 15점 2. 15점 3. 10점 4. 15점 5. 15점 6. 15점 7. 15점

일상생활에 이용하고 있는 로봇 중에는 동물의 생김새와 특징을 이용한 것이 있습니다. 한국해양과학기술원에서 게를 본떠 만든 ㉠해저 탐사 로봇인 '크랩스터'는 여섯 개의 다리 중 네 개의 다리로는 바닷속을 걸어 다니며 탐사 활동을 하고, 두 개의 앞다리로는 다양한 자료를 수집합니다. 미국국립항공우주국에서 개구리를 본떠 만든 '호핑 로봇'은 울퉁불퉁하고 장애물이 많은 행성[1]의 표면을 개구리처럼 뛰어서 목표물까지 이동합니다.

최근 일본에서 지진과 해일[2]로 건물이 무너졌을 때 건물 더미에 묻힌 사람을 찾아내기 위해 뱀 모양의 탐사 로봇인 '액티브 스코프 카메라'를 사용하였습니다. 이것은 무너진 건물의 깊은 곳까지 들어가 사람의 생명을 구하는 데 큰 역할을 하였습니다. 이 밖에도 갈매기의 생김새와 나는 모양을 본떠 만든 '스마트 버드 로봇', 개의 생김새와 이동 방법을 본떠 만든 '빅독 로봇', 도마뱀붙이를 본떠 만든 '스틱카봇' 등이 있습니다.

㉡인체의 내부를 들여다보는 첨단 의료 장비인 내시경의 움직임은 자벌레가 뒷다리는 고정하고 몸을 늘여 앞으로 나간 다음 앞다리를 고정하여 뒷다리를 끌어오는 방식을 응용한 것입니다. 또 내시경은 도마뱀붙이의 발바닥 구조를 응용하여 미끄러지지 않고 정지할 수 있습니다.

낱말 풀이

❶ 행성 중심 별의 강한 인력의 영향으로 타원 궤도를 그리며 중심 별의 주위를 도는 천체. 스스로 빛을 내지 못하고, 중심 별의 빛을 받아 반사한다. ❷해일 해저의 지각 변동이나 해상의 기상 변화에 의하여 갑자기 바닷물이 크게 일어서 육지로 넘쳐 들어오는 것.

1
주제찾기

글에 나온 낱말로 글의 주요 내용을 간추려보세요.

동물의 [ ][ ][ ]와 [ ][ ]을 본떠 생활에 유용한 로봇을 만들 수 있다.

2
제목찾기

빈칸에 알맞은 낱말을 써넣어 제목을 완성하세요.

동물을 모방한 [ ][ ]

3
사실이해

글의 내용을 아래 표로 정리했을 때 알맞지 않은 것을 고르세요. ( )

	로봇	본뜬 동물
①	크랩스터	게
②	호핑 로봇	개구리
③	스마트 버드	갈매기
④	스틱카봇	개
⑤	내시경	자벌레, 도마뱀붙이

4
미루어알기

㉠, ㉡을 순우리말로 정확하게 고쳐 놓은 것을 고르세요. ( )

① ㉠-물밑 ㉡-몸 안
② ㉠-밑바탕 ㉡-몸 속
③ ㉠-바다 밑 ㉡-사람 몸
④ ㉠-강바닥 ㉡-몸 안
⑤ ㉠-물바다 ㉡-사람 몸

4주 18회

해설편 09쪽

5
세부내용

셋째 문단의 내용을 아래와 같이 정리하여 빈칸을 채워 완성하세요.

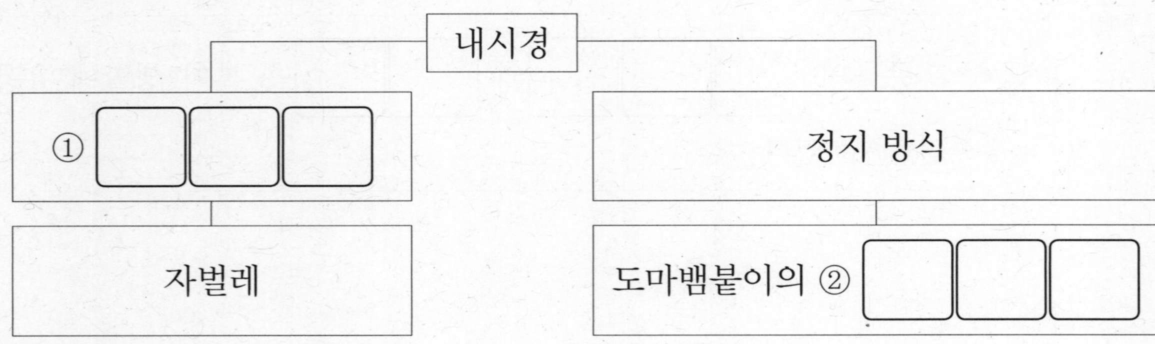

6
적용하기

이 글을 쓴 목적으로 볼 수 있는 것은 무엇입니까? ( )

① 일을 할 용기를 주기 위해
② 생각을 바꾸도록 하기 위해
③ 사실을 확인시켜 주기 위해
④ 새로운 지식을 알려 주기 위해
⑤ 새로 알게 된 일을 자랑하기 위해

7
요약하기

글에서 로봇을 만들 때, 모방한 동물을 설명한 순서에 따라 정리하였습니다. 빈칸에 동물의 이름을 쓰세요.

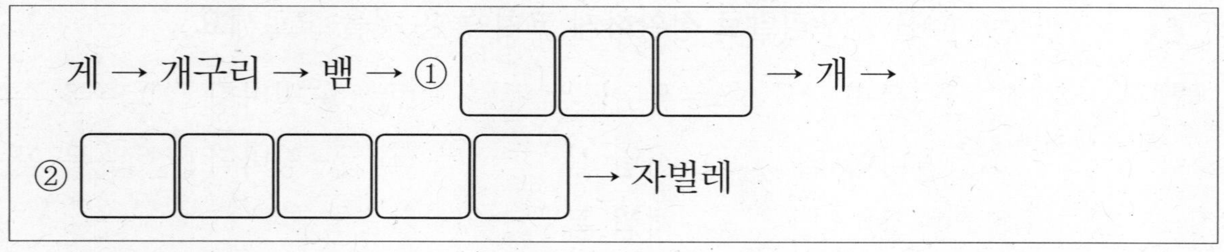

어휘 넓히기

뜻

낱말의 뜻풀이로 알맞은 것을 보기 에서 골라 괄호 안에 기호를 쓰세요.

(1) 크다 (　　)
(2) 많다 (　　)

보기
㉠ 수효나 분량, 정도 따위가 일정한 기준을 넘다. 반대말은 '적다.'
㉡ 길이, 넓이, 높이, 부피 따위가 보통 정도를 넘다. 반대말은 '작다.'

다지기

문장의 내용과 잘 어울리게 보기 의 낱말로 빈칸을 채우세요.

보기
많다　　적다　　크다　　작다

(1) 우리 엄마 손보다 내 손이 더 □□. 아빠 손은 내 손보다 더 □□.

(2) 서울에는 사람이 □□. 시골에는 사람이 □□.

넓히기

다음 한자어의 구성과 뜻을 알아보고, 빈칸에 알맞은 한자어를 쓰세요.

• **활동(活** 살 활. **動** 움직일 동.) 살아서 움직임.
• **내부(內** 안 내. **部** 부락 부.) 안쪽의 부분.

(1) 겨울이 되면 개구리가 □□을 멈추고 겨울잠을 자요.

(2) 닭강정 가게는 통유리로 되어있어 주방 □□가 훤히 보였어요.

공부 날짜 □ 월 □ 일
푸는데 걸린 시간 □ 분

맞은 개수 써보기

독해	개/7개	어휘	개/6개

4주 18회

해설편 09쪽

19

친구를 멀리하고 따돌리는 짓은 하지 말아야겠죠. 아픈 데가 있거나 힘이 없는 친구는 거들어주고 돌보아주면서 어울리는 게 참 좋아요. 우리 주변에 어떤 친구가 있는지 떠올려가면서 다음 이야기를 읽어봐요.

점수 계산 1. 15점 2. 10점 3. 15점 4. 15점 5. 15점 6. 15점 7. 15점

[앞의 줄거리] 운동에 자신이 없는 기찬이는 운동회를 앞두고 신경질이 났습니다.

"난 운동회가 정말 싫어!"

기찬이는 교문 밖으로 후다닥 달려나갔어요. 그때 이호가 소리쳤어요.

"저것 봐, 달리기도 엄청 느려!" / 친구들이 손뼉을 치며 깔깔 웃었어요.

이튿날, 운동회에 나갈 선수를 뽑기로 하였어요. 모두 들뜬 마음으로 선생님의 말씀에 귀 기울였어요.

"제비뽑기로 선수를 뽑자. 누구나 한 경기씩 나갈 수 있도록 말이야."

"말도 안 돼, 가장 잘하는 사람이 나가야 하는 것 아닌가요?"

아이들은 투덜거리며 제비를 뽑았어요. 기찬이의 제비뽑기 순서가 다가왔어요. 기찬이는 이어달리기가 쓰인 쪽지를 뽑았어요. 울상이 된 기찬이를 보고 친구들이 몰려들었어요.

"안 봐도 질 게 뻔해!" / "어떡해! '이어달리기'가 가장 점수가 높은데!"

그때 이호가 쪽지를 까딱까딱 흔들며 말하였어요. 이호가 뽑은 쪽지도 '이어달리기'였어요.

"얘들아, 이 형님만 믿어!"

운동회 날 아침, 친구들은 머리에 힘껏 청군 띠를 묶었어요. 그런데 어제부터 신나게 뛰어다니던 이호의 표정이 이상하였어요. 다리를 배배 꼬며 안절부절못하였어요.

'아, 어제 떡을 너무 많이 먹었나 봐…….' / "탕!"

출발 신호가 떨어졌어요. 백군 친구들은 쌩쌩 잘도 달렸어요. 기찬이네 반 친구들은 걱정이 앞섰어요. 청군은 이미 반 바퀴나 뒤처지고 있었어요.

"진 거나 마찬가지야! 다음엔 거북이 나기찬인걸!"

아무도 기찬이를 응원하지 않고 딴전을 부렸어요. 기찬이는 이를 악물고 뛰었어요. 하지만 점점 뒤처지기만 할 뿐이었어요. 이미 백군의 마지막 선수가 달리고 있었어요. 하지만 기찬이는 반 바퀴도 채 뛰지 못하고 있었어요. 빨리! / "더 빨리!"

다음 선수인 이호는 손을 뒤로 뻗어 기찬이를 재촉하였어요.

"꾸르르륵……." / 그때 이호의 배 속에서 천둥처럼 큰 소리가 났어요. 이호는 갑자기 가로질러 뛰쳐나갔어요. 더 이상 참을 수가 없었던 거예요!

백군의 마지막 선수와 청군의 세 번째 선수 기찬이가 같은 자리를 뛰고 있었어요. 이호가 화장실에 가 버리는 바람에 기찬이

의 다음에는 아무도 없었어요. 그런데 누군가 기찬이를 가리키며 소리쳤어요.

"어? 나기찬이 이기고 있어!"

백군의 마지막 선수와 같이 달리고 있는 기찬이를 보고 친구들이 착각을 한 거예요.

"뛰어라, 나기찬!" / "달려라, 나기찬!"

기찬이는 어리둥절하였어요. 친구들이 목청껏 자신의 이름을 부르고 있었으니까요. 기찬이는 눈을 질끈 감고 발바닥에 불이 나도록 내달렸어요. 기찬이가 마지막 백군 선수보다 한 발 앞서 나갔어요. / "기적이야! 우리가 이겼어!" / 기찬이네 반 친구들이 신이 나서 외쳤어요.

"나기찬!" / "나기찬!" / "저기! 나기찬 좀 봐."

그런데 기찬이가 한 바퀴를 더 도는 게 아니겠어요? 그때 이호가 휴지를 들고 헐레벌떡 뛰어왔어요. 친구들은 그제야 이마를 탁 쳤어요.

"뭐야, 이긴 게 아니야?" / "그것도 한 바퀴나 차이 나게 진 거야?"

이호는 머리를 긁적이며 멋쩍게 웃었어요. / "어디 갔다 왔어!"

기찬이는 이호에게 배턴을 넘겨주었어요. / "너만 믿다가 졌잖아."

기찬이는 괜히 웃음이 나왔어요. 친구들도 웃음이 나오는 것을 참을 수 없었어요. 모두 기찬이를 둘러싸고 웃으며 운동장을 달렸어요.

4주 19회

해설편 10쪽

1 주제찾기

이야기가 전하려는 깨달음은 무엇인지 보기 에서 알맞은 말을 골라 빈칸을 완성하세요.

보기

응원　　최선　　우정

⇨ 경기에서 이기는 것보다 더 아름다운 것은 [　][　]을 다하는 태도

2 글감찾기

이야기의 글감을 글에 나온 한 낱말로 쓰세요.

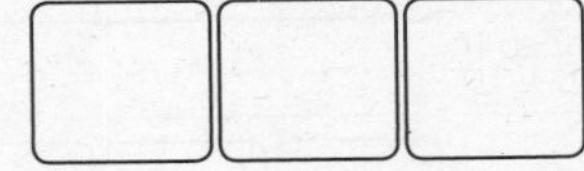

3 사실이해

이야기의 주인공은 어떤 인물입니까? (　)

① 운동에 흥미가 없다.

② 신경질을 자주 부린다.

③ 선생님께 불만이 많다.

④ 친구들에게 잘난 체한다.

⑤ 동작이 재빠르고 끈기있다.

4
미루어알기

사건이 엉뚱하게 흘러가 버린 이유는 무엇입니까? ( )

① 기찬이가 교문밖으로 달려나갔기 때문이다.
② 제비뽑기에서 이호가 이어달리기를 뽑았기 때문이다.
③ 제비뽑기에서 기찬이가 이어달리기를 뽑았기 때문이다.
④ 이어달리기에서 백군 친구들이 반 바퀴 앞섰기 때문이다.
⑤ 이어달리기를 하는 중간에 갑자기 이호가 사라졌기 때문이다.

5
세부내용

이야기를 전달하는 사람에 관한 설명 중 가장 알맞은 것은 어느 것입니까? ( )

① 인물의 성격을 전혀 모른다.
② 사건이 어떠한지 전혀 모른다.
③ 새로 등장할 인물을 잘 알고 있다.
④ 일어날 사건을 잘 알고 있다.
⑤ 인물과 사건에 관해 두루 잘 알고 있다.

6
적용하기

운동회 뒤에 친구들이 기찬이에게 해 줄 수 있는 말로 알맞은 것은 어느 것입니까? ( )

① 운동 좀 열심히 해!
② 다시는 선수로 나서지 마!
③ 꼴찌라도 괜찮아!
④ 안 봐도 질게 뻔해!
⑤ 심술 부리지 마!

7
요약하기

이야기의 주요 내용을 아래의 표로 정리했습니다. 빈칸에 알맞은 말을 쓰세요.

원인	결과
기찬이는 제비뽑기에서 ① □□□□□ 가 쓰인 쪽지를 뽑았습니다.	기찬이는 달리기를 못해서 걱정이 되었습니다.
이호는 제비뽑기에서 ② □□□□□ 가 쓰인 쪽지를 뽑았습니다.	이호는 자기만 믿으라면서 잘난 척을 하였습니다.
이어달리기 중간에 ③ □□ 가 사라졌습니다.	기찬이는 이호 대신에 한 바퀴를 더 돌았습니다.
친구들이 ④ □□ 의 이름을 부르며 응원하였습니다.	기찬이는 어리둥절하였지만 열심히 달렸습니다.

어휘 넓히기

뜻 낱말의 뜻풀이로 알맞은 것을 보기 에서 골라 괄호 안에 기호를 쓰세요.

(1) 뒤쳐지다 (　　　)
(2) 뒤처지다 (　　　)

보기
㉠ 어떤 수준이나 대열에 들지 못하고 뒤로 처지거나 남게 된다.
㉡ 물건이 뒤집혀서 젖혀지다.(비슷한 말은 뒤집어지다.)

다지기 보기 에서 알맞은 낱말을 찾아 빈칸에 쓰세요.

보기
뒤쳐져서　　뒤처져서

(1) 바람에 현수막이 □□□□ 갈아 끼우다.
(2) 그 기술은 시대의 변화에 □□□□ 지금은 사용되지 않는다.

넓히기 다음 한자어의 구성과 뜻을 알아보고, 빈칸에 알맞은 한자어를 쓰세요.

- **출발(出** 날 출. **發** 필 발.) 어떤 곳을 향하여 나아감.
- **청군(靑** 푸를 청. **軍** 군사 군.) 푸른색 띠를 두르거나 옷을 입은 한쪽의 편.

(1) 운동회에서는 □□과 백군으로 편을 나누어 어느 쪽이 이기는지 겨루어요.
(2) 달리기에서 □□이 늦었더라도 최선을 다하여 뛰어야 해요.

공부 날짜 [　　] 월 [　　] 일
푸는데 걸린 시간 [　　] 분

맞은 개수 써보기

독해	[　　] 개/7개	어휘	[　　] 개/6개

4주 19회

해설편 10쪽

20

생각 열기

시에는 재미있는 표현을 여러 가지 사용해요. 가짓수가 하도 많아서 다 늘어놓기가 어려울 정도예요. 우리나라 시에서 대표적으로 사용하는 재미있는 표현으로, 모양이나 소리를 흉내내는 말을 들 수 있어요. 그리고 반복하는 말은 재미도 있지만 율동을 자아내기도 해요. 사투리의 사용도 재미있지요. 그 밖에 물건이나 동식물을 사람처럼 꾸미는 표현도 재미있어요.

점수 계산 1. 15점 2. 10점 3. 15점 4. 15점 5. 15점 6. 15점 7. 15점

내 양말에 구멍이 뽕
발가락이 쏙 나왔다.

발가락은 꼼틀꼼틀
저거끼리 좋다고 논다.

나도 좀 보자
나도 좀 보자
서로 밀치기 한다.

모처럼 구경하려는데
와 밀어내노
㉠서로서로 얼굴을 내민다.

그런데 엄마가 양말을 기워서[1]
발가락은 다시
캄캄한 세상에서
숨도 못 쉬고 살게 되었다.

낱말 풀이

❶ 깁다 떨어지거나 해어진 곳에 다른 조각을 대어, 또는 그대로 꿰매다 (활용: 기워, 기우니, 깁는…), '기우다'는 표준어가 아님

1
주제찾기

시가 전하는 중심 내용으로 알맞은 것은 어느 것입니까? ( )

① 가난하면 불행해진다.
② 가난은 노력으로 이긴다.
③ 가난은 어느 날 갑자기 찾아온다.
④ 가난하더라도 건강하게 살아야 한다.
⑤ 가난한 삶에서도 여유를 가지고 웃으며 산다.

2
글감찾기

시의 글감을 시에서 찾아 쓰세요.

⇨ 

3
사실이해

시에서 재미있는 생각이나 표현을 아래의 표로 정리했습니다. 빈칸에 알맞은 낱말을 쓰세요.

발가락을 ① □□인 것처럼 표현	'저거끼리 좋다고 논다.', '서로 밀치기 한다.', '구경을 하려는데', '얼굴을 내민다.'
② □□ 내는 말 사용	'뽕', '쏙', '꼼틀꼼틀'
③ □□되는 말 사용	'꼼틀꼼틀', '나도 좀 보자', '서로서로'
④ □□□의 사용	'저거끼리', '와 밀어내노'

4
미루어알기

㉠은 어떤 모습을 표현한 것일까요? ( )

① 양말의 앞이 모두 뚫린 모습
② 양말의 뒤가 모두 뚫린 모습
③ 양말의 앞과 뒤가 모두 뚫린 모습
④ 양말의 뚫린 틈으로 발뒤꿈치가 나온 모습
⑤ 양말의 뚫린 틈으로 발가락들이 비어져나온 모습

4주 20회

해설편 10쪽

5

세부내용

이 시의 모양을 가장 잘 설명한 것은 어느 것입니까? ( )

① 문장들을 길게 이어 붙였다.
② 연을 차지한 행의 수가 모두 같다.
③ 연이 이어질수록 행의 수가 많아진다.
④ 연을 차지한 행의 길이가 점차 길어진다.
⑤ 같은 길이의 연이 번갈아가면서 나타난다.

6

적용하기

시에서 목소리의 주인공(화자)은 어떻게 살고 있다고 할 수 있나요? ( )

① 가난을 못 이겨하고 있다.
② 가난을 이겨내려 하고 있다.
③ 가난을 남의 탓으로 돌리려하고 있다.
④ 가난하면서도 웃음을 잃지 않으려 하고 있다.
⑤ 가난하게 살더라도 잘 살게 될 날이 있으리라고 믿고 있다.

7

요약하기

시의 내용을 아래와 같이 크게 둘로 나누어 정리해 보았습니다. 빈칸에 들어갈 알맞은 낱말을 보기 에서 찾아 쓰세요.

보기

맑은 밝은 포근한 캄캄한

1~4연	양말을 비집고 나온 발가락 — ① ☐☐ 느낌
5연	기운 양말 속에 다시 갇힌 발가락 — ② ☐☐☐ 느낌

어휘 넓히기

뜻

낱말의 뜻풀이로 알맞은 것을 보기 에서 골라 괄호 안에 기호를 쓰세요.

(1) 발가락 (　　　)
(2) 손가락 (　　　)
(3) 젓가락 (　　　)

보기
㉠ 손끝의 다섯 개로 갈라진 부분. 또는 그것 하나하나.
㉡ 음식을 집어 먹거나, 물건을 집는 데 쓰는 기구.
㉢ 발끝의 다섯 개로 갈라진 부분. 또는 그것 하나하나.

다지기

보기 에서 알맞은 낱말을 찾아 아래 문장의 빈칸을 채우세요.

보기
발가락　　손가락　　젓가락

(1) 다섯 □□□ 중에서 둘째 손가락을 검지라고 불러요.

(2) 밤새 차가운 겨울 들판을 걸어오느라고 □□□에는 눈이 서리처럼 허옇게 끼었어요.

(3) 우리나라 사람들은 어릴 적부터 □□□을 잘 사용하여 손재주가 유달리 좋답니다.

넓히기

다음 한자어의 구성과 뜻을 알아보고, 빈칸에 알맞은 한자어를 쓰세요.

- **양말(洋** 서양 양, **襪** 버선 말.) 맨발에 신도록 실이나 섬유로 짠 것.
- **세상(世** 인간 세, **上** 윗 상.) 사람이 살고 있는 모든 사회를 통틀어 이르는 말.

(1) 모두가 행복을 누릴 □□을 만들기 위해 노력합니다.

(2) 신는 □□이 순우리말이 아니라 한자어여서 적이 놀랐어요.

참고 적이: 꽤 어지간한 정도로

시간 공부 날짜 [　　]월 [　　]일
푸는데 걸린 시간 [　　]분

확인 맞은 개수 써보기

독해	[　　]개/7개	어휘	[　　]개/8개

4주 20회

해설편 10쪽

어휘·어법 총정리

보기 의 낱말을 보고, 뜻과 어울리는 것을 골라 아래의 빈칸에 써보세요.

보기	곤란하다	커다랗다	물끄러미	노려보다	몸치장	노리개	착각	탐사하다

1. 몸을 보기 좋고 맵시 있게 하려고 하는 치장. [ ]
2. 여자들이 몸치장으로 한복 저고리의 고름이나 치마허리 따위에 다는 물건. [ ]
3. 미운 감정으로 어떠한 대상을 매섭게 계속 바라보다. [ ]
4. 사정이 몹시 딱하고 어렵다. [ ]
5. 알려지지 않은 사물이나 사실 따위를 샅샅이 더듬어 조사하다. [ ]
6. 매우 크다. 또는 아주 큼직하다. [ ]
7. 우두커니 한곳만 바라보는 모양. [ ]
8. 어떤 사물이나 사실을 실제와 다르게 지각하거나 생각함. [ ]

어법 다음 중 맞춤법에 맞는 것을 골라 동그라미 하세요.

1. [띄어쓰기 / 뛰어쓰기]는 어렵다.
2. 도둑을 [좇도록 / 쫓도록]시켰다.
3. 간절한 [바람 / 바램]으로 빌었다.
4. [돌멩이 / 돌맹이]를 찼다.
5. 정말 말도 [안 돼 / 안 되]!
6. 한 바퀴나 [뒤쳐졌다 / 뒤처졌다].
7. 로봇이 큰 [역활 / 역할]을 했다.
8. [양말 / 양발]에 구멍이 났다.

나의 점수 확인하기

어휘	개 / 8개	어법	개 / 8개

5주차

회차 / 영역	제목	계획 및 점검
21 인문|논설문	부탁하는 글 • 나는 [ ] 월 [ ] 일 [ ] 시에 공부할 것입니다.	• 독해력에서 나의 점수는 [ ] 점입니다. • 어휘력에서 맞은 문제수는 [ ] 개 / 6개 입니다. • 어려웠던 문제는 ______ 번입니다.
22 사회|설명문	너도나도 숟갈 들고 어서 오느라 • 나는 [ ] 월 [ ] 일 [ ] 시에 공부할 것입니다.	• 독해력에서 나의 점수는 [ ] 점입니다. • 어휘력에서 맞은 문제수는 [ ] 개 / 6개 입니다. • 어려웠던 문제는 ______ 번입니다.
23 과학|설명문	패트병으로 옷을 만든다 • 나는 [ ] 월 [ ] 일 [ ] 시에 공부할 것입니다.	• 독해력에서 나의 점수는 [ ] 점입니다. • 어휘력에서 맞은 문제수는 [ ] 개 / 8개 입니다. • 어려웠던 문제는 ______ 번입니다.
24 산문문학|이야기	좁쌀 한 톨로 장가 든 총각 • 나는 [ ] 월 [ ] 일 [ ] 시에 공부할 것입니다.	• 독해력에서 나의 점수는 [ ] 점입니다. • 어휘력에서 맞은 문제수는 [ ] 개 / 8개 입니다. • 어려웠던 문제는 ______ 번입니다.
25 운문문학|시	동주의 개 • 나는 [ ] 월 [ ] 일 [ ] 시에 공부할 것입니다.	• 독해력에서 나의 점수는 [ ] 점입니다. • 어휘력에서 맞은 문제수는 [ ] 개 / 6개 입니다. • 어려웠던 문제는 ______ 번입니다.

• 이번 주 독해력 문제에서 나의 점수는 평균 [ ] 점입니다.

• 이번 주 어휘력에서 맞은 문제수는 모두 [ ] 개입니다.

21

우리 주변에 있는 누군가에게 부탁하는 글을 써야 할 때가 있어요. 이런 글에서는 무엇을 부탁하는지, 부탁의 내용이 잘 드러나야 해요. 또 이런 부탁을 하는 까닭도 잘 드러나야 해요. 다음 두 편의 글에서 이런 점들을 확인해 봐요.

1. 15점 2. 10점 3. 15점 4. 15점 5. 15점 6. 15점 7. 15점

(가) 선생님께

선생님 안녕하세요? 저는 회장 서인호입니다. 선생님께서 체육 시간에 여러 가지 운동을 가르쳐 주셔서 저희는 체육 시간을 참 좋아해요. 선생님께서 하고 싶은 운동이 있으면 이야기하라고 하셔서 들뜬 마음에 이렇게 부탁드리는 글을 씁니다.

다음 체육 시간에는 피구를 하면 좋겠어요. 피구를 하면 우리 반 모두가 참여할 수 있고, 규칙을 지키면서 정정당당히 경기하고 나면 협동심도 기를 수 있을 것 같아요.

친구들도 저와 같은 생각을 하고 있습니다. 앞으로 더 행복한 우리 반이 될 수 있도록 노력하겠습니다.

선생님 사랑해요.

20○○년 9월 23일 서인호 올림

(나) 친구들에게

친구들아, 나 시은이야. 나는 착하고 명랑한 너희와 같은 반이어서 행복해. 우리 반에서 한 가지만 고치면 참 좋을 것 같아서 너희에게 부탁하려고 해.

요즘 교실에서 뛰는 친구들이 있잖아? 그런데 교실에서 뛰면 다칠 수가 있어. 며칠 전에 우리 반 친구 한 명이 교실에서 뛰다가 책상 모서리에 부딪히는 바람에 다리에 멍이 들었던 것 기억하지? 다치지는 않더라도 쿵쾅거리는 소리 때문에 시끄러워서 친구들이 책을 읽는 데 방해가 되기도 해. 그러니 뛰고 싶으면 운동장에 나가서 마음껏 뛰어놀면 좋겠어.

멋진 우리 반 친구들아. 내 부탁 들어줄 수 있지? 친구들아, 꼭 부탁해.

20○○년 9월 25 일 임시은 씀

1
주제찾기

빈칸을 채워 (가), (나)의 주제문을 완성하세요.

(가) ① 다음 ☐☐ 시간에는 ☐☐를 하게 해주세요.

(나) ② ☐☐에서 ☐☐ 말자.

2
글감찾기

(가), (나)와 같이, 부탁하는 글을 쓸 때 들어가야 할 내용은 무엇인지 아래의 빈칸을 채워 답하세요.

⇨ 부탁하고 싶은 내용과 부탁하는 ☐☐

3
사실이해

(가)에서 부탁하는 까닭을 말한 문장의 중심 낱말 둘은 무엇과 무엇입니까? ( )

① 체육, 피구
② 피구, 참여
③ 참여, 협동심
④ 협동심, 친구
⑤ 친구, 행복

4
미루어알기

(가), (나)의 글쓴이가 공통적으로 읽는 이에게 바란 것은 무엇입니까? ( )

① 운동을 열심히 하기
② 서로에게 인사를 잘하기
③ 읽는 사람의 생각을 바꾸기
④ 스스로 좋아하는 일을 실천하기
⑤ 어른과 선생님의 말씀을 잘 따르기

5주 21회
해설편 11쪽

5

세부내용

(나)에서 부탁하는 까닭을 알맞게 간추린 것은 어느 것입니까? ( )

① 며칠 전 교실에서 뛰던 친구가 다쳤다.
② 교실에서는 되도록 뛰지 않았으면 좋겠다.
③ 뛰면 다칠 수 있어 위험하고, 교실이 시끄럽다.
④ 정 뛰고 싶으면 운동장에 나가서 뛰어놀면 좋겠다.
⑤ 멋진 우리 반 친구들은 내 부탁을 들어줄 수 있다.

6

적용하기

부탁하는 글을 쓰고 다시 살펴보아야 할 내용으로 알맞지 <u>않은</u> 것은 무엇입니까? ( )

① 예의 바르게 썼는지 살펴본다.
② 부탁하는 내용이 드러났는지 확인한다.
③ 부탁하는 까닭을 구체적으로 밝혔는지 살핀다.
④ 문제를 불러일으킨 사람이 누구인지 확인해본다.
⑤ 누가 쓴 글이며, 누구에게 쓴 글인지를 밝혔는지 살핀다.

7

요약하기

(가)의 짜임새를 아래의 표로 정리했습니다. 빈칸에 낱말을 넣어 완성하세요.

처음	읽는 이, 인사말, ① □□□, 여러 가지 운동을 가르쳐 주시는 선생님께 감사 표현 등
가운데	부탁하고 싶은 내용, 부탁하는 ② □□
끝	③ □□□, 쓴 날짜, 글쓴이

어휘 넓히기

뜻 낱말의 뜻풀이로 알맞은 것을 보기 에서 골라 괄호 안에 기호를 쓰세요.

(1) 뛰다 (　　　)
(2) 튀다 (　　　)

보기
㉠ 튕기는 힘이 있는 물체가 솟아오르다. 어떤 힘을 받아 작은 물체나 액체 방울이 위나 옆으로 세게 흩어지다.
㉡ 발을 몹시 재게 움직여 빨리 나아가다. 있던 자리로부터 몸을 높이 솟구쳐 오르다.

다지기 빈칸에 알맞은 낱말을 보기 에서 찾아 쓰세요.

보기
뛰었다　　튀었다

(1) 공이 공중으로 높이 ☐☐☐.
(2) 약속 시간에 늦어 ☐☐☐.

넓히기 다음 한자어의 구성과 뜻을 알아보고, 빈칸에 알맞은 한자어를 쓰세요.

- **부탁(付** 줄 부. **託** 부탁할 탁.) 어떤 일을 해 달라고 청하거나 맡김. 또는 그 일거리.
- **행복(幸** 다행 행. **福** 복 복.) 복된 좋은 운수.

(1) 잘 사는 나라는 국민들이 ☐☐을 누리는 나라이다.
(2) 제 ☐☐을 들어주셔서 고맙습니다.

시간 **공부 날짜** ☐ 월 ☐ 일
푸는데 걸린 시간 ☐ 분

확인 **맞은 개수 써보기**

독해	☐ 개/7개	어휘	☐ 개/6개

5주 21회

해설편 11쪽

22

우리 민족의 고유 음식 중 가장 사랑을 받아온 것이 묵과 떡이에요. 묵은 녹두, 메밀, 도토리, 옥수수 등에서 전분 가루를 뽑아 내어서 물을 붓고 끓여 되직하게 풀을 쑤어서 굳힌 것이죠. 떡은 곡식의 가루를 찌거나 익힌 뒤 모양을 빚어 먹는 음식으로 주로 찹쌀이나 멥쌀이 사용되어요.

점수 계산 1.  15점 2.  10점 3.  15점 4.  15점 5. 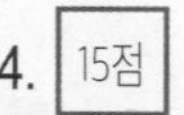 15점 6.  15점 7. 15점

우리나라 음식 중에 독특한 성질을 가진 묵이 있어요. 묵은 무르지만 죽은 아니에요. 알갱이가 있는 것도 아니니 밥이나 국수 종류에도 낄 수가 없지요. 생긴 모양만 보자면 두부에 가까워요. 그러나 단백질이 풍부한 두부와 비교하기에는 왠지 모르게 부족함이 있지요.

묵은 맛도 두루뭉술하여서 어떻다고 딱 잘라 말하기가 힘들어요. 그렇다고 있으나 마나 한 존재는 아니에요. 잔칫상 귀퉁이에 조금은 싱거운 듯 아주 점잔을 빼고 앉았지요. 이름난 묵으로는 메밀로 만드는 메밀묵, 도토리로 만드는 도토리묵, 녹두로 만드는 청포묵이 있어요.

묵을 쑤려면 메밀이나 도토리의 껍질을 깐 뒤에 빻아서 가루로 만들어요. 그런 다음 가마솥에 가루를 풀고 풀 쑤듯이 술술 쑤어 나가지요. 그러다 보면 풀기가 생겨서 엉기는데, 그대로 천천히 식히면 묵이 되지요. 도토리는 쓴맛을 없애기 위하여 찬물에 우려내야[1] 해요. 묵은 많이 먹어도 별로 배부르지 않고 살도 찌지 않는 순수 자연식품이에요.

㉠<u>농사를 짓고 살아온 우리 민족에게 떡은 매우 소중한 음식이에요.</u> 떡은 곡식을 재료로 하여 만드는데, 각 지역의 문화와 기후, 땅의 성질에 따라 아주 다양하게 발달하였어요. 땅이 메말라 농사를 짓기가 힘든 강원도에는 감자와 옥수수가 들어간 떡이 많고, 쌀이 귀한 제주도에서는 제사 때만 떡을 빚을 수 있었어요.

떡은 만드는 방법에 따라 크게 네 가지로 나눌 수 있어요. 첫째는 찌는 떡이 있어요. 백설기와 켜[2]떡처럼 시루에 쌀가루를 넣고 찌는 떡을 말하는데 보통 시루떡이라고 부르지요. 둘째는 치는 떡이 있어요. 흰떡, 인절미처럼 쪄낸 반죽을 절구나 떡메로 쳐서 만드는 떡을 말해요. 셋째는 삶는 떡이 있어요. 찹쌀가루를 반죽해서 동그랗게 빚어 삶은 뒤에 고물을 묻히면 경단이나 단자 같은 떡이 되지요. 넷째는 지지는 떡이 있어요. 화전이나 부꾸미처럼 기름에 지져서 만드는 떡을 말하지요.

우리나라 떡 이야기를 할 때 빠져서는 안 되는 것이 ㉡떡살이에요. 떡살은 떡을 눌러 갖가지 무늬를 찍어 내는 판을 말하지요. 떡살에는 여러 가지 무늬가 새겨져 있는데, 나비무늬, 꽃무늬, 새 무늬, 물고기 무늬, 글자 무늬 등이 있어요. 무늬마다 독특한 뜻이 담겨 있는데, 연꽃은 존귀[3]이고, 물고기는 부귀이며, 별은 무병장수[4]를 뜻해요.

❶ 우려내다 물체를 액체에 담가 성분, 맛, 빛깔 따위가 배어들게 하다. ❷ 켜 포개어진 물건의 하나하나의 층. ❸ 존귀 지위나 신분이 높고 귀함. ❹ 무병장수 병 없이 건강하게 오래 삶.

5주 22회

해설편 11쪽

1 주제찾기

보기 에서 알맞은 낱말을 골라 아래의 빈칸을 채워 글의 주제를 완성하세요.

보기
농사 음식 지역

⇨ 묵과 떡으로 나타난 우리나라의 ☐☐ 문화

2 글감찾기

글감 두 가지를 글에서 찾아 쓰세요.

⇨ ☐, ☐

3 사실이해

글의 내용으로 나타나지 않은 것은 무엇인가요? ( )

① 음식의 성질
② 음식의 종류
③ 음식을 만드는 방법
④ 음식이 생활에서 차지하는 중요성
⑤ 음식과 관련하여 전해오는 이야기

4 미루어알기

글의 내용에 따라 '묵'의 성질을 가장 잘 표현한 것은 어느 것인가요? ( )

① 두부를 닮았다.
② 죽도 밥도 아니다.
③ 알갱이가 없다.
④ 있으나 마나 하다.
⑤ 점잔을 빼고 앉았다.

5 세부내용

㉠에서 가장 먼저 떠올릴 수 있는 낱말은 무엇인가요? ( )

① 국수
② 두부
③ 곡식
④ 시루
⑤ 떡메

6 적용하기

㉡의 '떡살'은 무엇에 쓰이는 물건인지 아래 문장의 빈칸을 채워 밝히세요.

떡에 여러 가지 □□를 찍어내는 판이다.

7 요약하기

글의 주요 내용을 아래의 표로 정리하여 빈칸을 채우세요.

우리나라의 음식
- 묵
  - 메밀묵
  - 도토리묵
  - ① □□□
- 떡
  - ② □□ 떡
  - 치는 떡
  - 삶는 떡
  - ③ □□□ 떡

어휘 넓히기

뜻 낱말의 뜻풀이로 알맞은 것을 보기 에서 골라 괄호 안에 기호를 쓰세요.

(1) 무르다 (　　　)
(2) 싱겁다 (　　　)

보기
㉠ 음식의 간이 보통 정도에 이르지 못하고 약하다. 사람의 말이나 행동이 상황에 어울리지 않고 다소 엉뚱한 느낌을 주다.
㉡ 여리고 단단하지 않다. 마음이 여리거나 힘이 약하다.

다지기 들어갈 낱말을 보기 에서 찾아 쓰세요.

보기
물러서　　싱거워

(1) 나무의 성질이 지나치게 [ ][ ][ ] 기둥 재목으로 쓰기에는 알맞지 않다.
(2) 국이 맹물처럼 [ ][ ][ ] 소금을 조금 더 넣어서 먹었다.

넓히기 다음 한자어의 구성과 뜻을 알아보고, 빈칸에 알맞은 한자어를 쓰세요.

- **독특(獨** 혼자 독. **特** 특별할 특.) 특별하게 다름. 다른 것과 비교할 수 없을 정도로 뛰어남.
- **다양(多** 많을 다. **樣** 모양 양.) 여러 가지 모양이나 양식. ('다양하다': 모양, 빛깔, 생김새 따위가 여러 가지로 많다.)

(1) 그림에서 사용한 색깔과 물건의 모양이 전혀 본 적이 없을 만큼 [ ][ ]하다.
(2) 꽃가게엔 장미, 백합, 안개꽃, 튤립 등의 [ ][ ]한 종류의 꽃들이 있었다.

시간 공부 날짜 [ ]월 [ ]일
푸는데 걸린 시간 [ ]분

확인 맞은 개수 써보기

독해	[ ]개/7개	어휘	[ ]개/6개

5주 22회
해설편 11쪽

23

옷을 만드는 재료인 실을 섬유라고 해요. 천연 섬유만으로 옷을 만들다가 기술의 발달로 합성 섬유가 발달했어요. 합성 섬유는 석유, 석탄, 천연가스 따위를 원료로 하여 화학적으로 합성한 섬유를 말하는데, 나일론, 비닐론, 폴리에스테르 등이 있죠.

1. 10점 2. 15점 3. 15점 4. 15점 5. 15점 6. 15점 7. 15점

(가) 옷을 만드는 물질은 여러 가지가 있습니다. 목화를 재배하여 얻는 면섬유, 양과 같은 동물의 털로 만든 모섬유, 누에고치에서 뽑은 견섬유 등의 천연 섬유로 옷을 만듭니다. 요즈음에는 옷 대부분을 석유와 석탄 등의 원료를 이용한 합성 섬유로 만듭니다.

(나) 우리가 입고 있는 옷 안의 제품 설명서를 보면 폴리에스터나 나일론 등의 이름을 볼 수 있는데, 이것이 석유에서 나온 원료로 만든 합성 섬유입니다. 그런데 음료수를 담는 그릇인 페트병으로도 옷을 만들 수 있다고 합니다. 2010년 남아프리카공화국 월드컵 때 출전한 32개 국가 중에서 우리나라 등 9개 나라 선수들이 입었던 유니폼이 바로 페트병을 재활용하여 만든 옷입니다.

(다) 페트병으로 옷을 만들 때는, 먼저 페트병을 색깔별로 나누어 각각 모아둡니다. 둘째, 손톱 반 정도의 크기로 페트병을 잘게 나눕니다. 셋째, 잘게 나누어진 조각을 일정한 모양의 알갱이(펠릿)로 만듭니다. 넷째, 펠릿에 열과 압력을 가하여 녹이고 이로부터 실을 뽑아냅니다. 다섯째 이 실로 섬유를 짜고 옷을 만듭니다.

(라) 이렇게 만들어진 우리나라 월드컵 축구 국가 대표 선수의 유니폼 한 벌의 무게는 130g 정도로, 2006년 독일 월드컵 때 입었던 유니폼보다 훨씬 가벼울 뿐만 아니라 땀이 잘 ㉠□□되고 빨리 마릅니다. 그래서 운동 선수의 유니폼으로 매우 좋은 평가를 받았습니다. 또 재료 가격이 싸서 유니폼의 제작비용을 줄이는 데도 도움이 되었다고 합니다.

1
주제찾기

글의 주요 내용을 간추렸습니다. 보기 에서 알맞은 낱말을 골라 빈칸을 채우세요.

보기

재충전 재활용 재도전

우리가 생활에서 쓰고, 쓰레기로 버리는 물건을 폐기물이라고 해요. 이러한 폐기물을 [ ][ ][ ]하여 새로운 생활 도구를 만들 수 있어요.

2
제목찾기

글의 제목으로 알맞은 것은 어느 것입니까? ( )

① 섬유의 종류
② 옷을 만드는 물질
③ 합성 섬유의 원료
④ 페트병으로 만든 옷
⑤ 월드컵 축구와 유니폼

3
사실이해

글의 내용으로 나타나지 않은 것은 무엇입니까? ( )

① 천연 섬유로 옷을 만들 수 있다.
② 합성 섬유로 옷을 만들 수 있다.
③ 2010년에 합성 섬유로 처음 옷을 만들었다.
④ 여러 단계를 거쳐 페트병으로 옷을 만든다.
⑤ 남아공월드컵 때 우리나라 선수들이 참가했다.

5주 23회

해설편 12쪽

4

미루어알기

㉠에 들어갈 알맞은 낱말은 무엇입니까? ( )

① 흡수 ② 호흡
③ 흡입 ④ 호출
⑤ 흡착

5

세부내용

(가)~(라) 중, 어떤 물건을 만드는 순서에 따라 글을 전개한 것을 찾아 그 기호를 쓰세요.

( )

6

적용하기

페트병으로 만든 옷은 무엇을 원료로 하였다고 볼 수 있나요? ( )

① 면섬유 ② 모섬유
③ 견섬유 ④ 천연 섬유
⑤ 합성 섬유

7

요약하기

글의 내용을 문단 순서에 따라 정리했습니다. 빈칸에 알맞은 낱말을 쓰세요.

(가) 옷을 만드는 ① ☐☐의 종류

↓

(나) ② ☐☐☐으로 옷을 만든 사례

↓

(다) 페트병으로 옷을 만드는 ③ ☐☐

↓

(라) 페트병으로 만든 옷의 ④ ☐☐

어휘 넓히기

뜻 낱말의 뜻풀이로 알맞은 것을 보기 에서 골라 괄호 안에 기호를 쓰세요.

(1) 만들다 (   )
(2) 나누다 (   )
(3) 녹이다 (   )

보기
㉠ 얼음이나 얼음같이 매우 차가운 것을 열로 액체가 되게 하다. 결정체를 액체에 풀어져 섞이게 하다.
㉡ 하나를 둘 이상으로 가르다. 즐거움, 고통 따위를 함께 하다.
㉢ 노력이나 기술 따위를 들여 목적하는 사물을 이루다. 새로이 정하다.

다지기 보기 의 낱말에서 알맞은 것을 골라 아래의 빈칸을 채우세요.

보기
만들다 나누다 녹이다

(1) 뜨거운 우유에 코코아 가루를 ☐☐☐.
(2) 우리가 지켜야 할 규칙을 ☐☐☐.
(3) 명절에 가족이 모두 모여 오순도순 정을 ☐☐☐.

넓히기 다음 한자어의 구성과 뜻을 알아보고, 빈칸에 알맞은 한자어를 쓰세요.

- **천연(天** 하늘 천. **然** 그럴 연.) 사람의 힘을 가하지 아니한 상태.
- **합성(合** 합칠 합. **成** 이룰 성.) 둘 이상의 것을 합쳐서 하나를 이룸.

(1) 어제 본 영화는 컴퓨터로 ☐☐한 특수영상이 많았다.
(2) 이 오렌지주스는 어떤 첨가물도 넣지 않은 ☐☐ 과즙입니다.

시간 공부 날짜 ☐ 월 ☐ 일
푸는데 걸린 시간 ☐ 분

확인 맞은 개수 써보기

독해	개/7개	어휘	개/8개

5주 23회
해설편 12쪽

24

생각 열기 옛날 이야기 중에는 내용은 다르지만 그 짜임새는 같은 작은 이야기가 여러 번 반복되어 하나의 전체 줄거리가 되는 이야기가 여럿 있어요. 여기서 살펴 볼 이야기도 그런 짜임새로 되어 있어요.

점수 계산 1. 15점 2. 15점 3. 15점 4. 15점 5. 15점 6. 10점 7. 15점

옛날 어느 마을에 돌쇠라는 총각이 살고 있었어.

"세상 구경이나 떠나 볼까?" / 돌쇠는 좁쌀 한 톨만 달랑 들고 길을 떠났어.

어느새 날이 저물어 돌쇠는 주막에서 하룻밤 묵어가기로 했지.

"주모, 이 좁쌀은 내 전 재산이니 잘 맡아 두었다가 날이 밝거든 돌려주시오."

좁쌀을 받아 든 주모는 어이가 없었어. 그래서 좁쌀을 아무렇게나 휙 던져 놓고는 잠에 곯아떨어졌지. 그런데 이 일을 어째? 밤사이 쥐 한 마리가 좁쌀을 홀랑 먹어 버렸지 뭐야.

날이 밝자 돌쇠는 좁쌀 한 톨을 돌려 달라고 했어. / "이 일을 어쩐담? 쥐란 놈이 먹어 버렸지 뭐요." / 주모의 말에 돌쇠는 바닥에 주저앉아 엉엉 울었어.

"아이고, 그 좁쌀이 내 전 재산인데 이제 어쩌면 좋단 말이오. 지금 당장 그 쥐라도 잡아 주시오." / 주모는 냉큼 쥐 한 마리를 잡아다가 돌쇠에게 주었어.

돌쇠는 쥐 한 마리를 받아 들고 길을 떠났지.

얼마나 갔을까? 어느새 또 날이 저물었어. 돌쇠는 농가의 헛간에서 하룻밤을 보내게 되었지. 농부의 아내에게 쥐를 맡겼더니 그집의 고양이가 잡아먹었고, 쥐 대신 고양이를 받았어.

돌쇠는 고양이를 데리고 길을 떠났지.

그날 밤, 돌쇠는 으리으리한 기와집에서 하룻밤을 묵어가게 되었어.

"이 고양이는 내 전 재산이니 잘 맡아 주시오."

그런데 다음 날 하인이 한다는 소리가, 이 집 개가 고양이를 무는 바람에 고양이가 꼼짝도 못하게 되었다는 거야. / "허, 그것참, 미안하게 되었소. 그 대신 이 개라도 가지고 가시오."

[생략된 줄거리] 개를 데리고 또 다른 곳에서 하루를 묵게된 돌쇠는 그집 당나귀 때문에 개를 잃고, 개 대신 당나귀를 얻었다. 시골에서 한양까지 오게 된 돌쇠는 여관에 맡긴 당나귀가 여관집 암소에게 맞아 다리가 부러지자, 당나귀 대신 암소를 얻게 된다.

암소를 몰고 길을 떠난 돌쇠는 해가 저물자 한양의 백정[1]의 집에서 하룻밤을 묵게 되었어. 그런데 다음 날, 백정이 급하게 돌쇠를 깨웠어. 아들 녀석이 자기네 소인 줄 알고 암소를 정승 댁에 팔았다는 거야. 돌쇠는 부랴부랴 정승 댁을 찾아갔지. 정승 댁에서는 잔치가 한창이었어. 돌쇠는 대문을 두드리며 우렁찬 목소리로 외쳤어.

"이 댁에서 사 간 암소를 돌려주시오!" / 그러자 하인들이 우르르 몰려나와 말했어.

"이미 그 소는 잡아서 잔칫상에 올렸소." / "그럼 그 소를 먹은 사람이라도 데려오시오!"

"먹은 사람이 한둘이겠소?" / "그럼, 가장 많이 먹은 사람을 데려오시오! 그러지 않으면 여기서 한 발짝도 물러서지 않겠소."

밖이 떠들썩하자 정승은 하인을 불러 물었어. / "무슨 일인데 이리 소란스러운 게냐?"

"글쎄, 어떤 총각이 오늘 잔칫상에 올린 암소가 자기 것이라며 당장 내놓으라고 야단입니다요." / "아니, 이미 잡아먹은 소를 어찌 내놓으라는 게냐?" / "그 소를 가장 많이 먹은 사람이라도 내놓으라고 저렇게 떡 버티고 서서 억지를 부리지 뭡니까요."

정승은 대문으로 가서 돌쇠를 찬찬히 훑어보았어. 그런데 눈이 초롱초롱하고 말하는 품이 당찬 거야. 정승은 돌쇠가 마음에 쏙 들었지. 정승은 방으로 들어가 어여쁜 색시를 데리고 나왔어.

"이 아이가 그 소를 가장 많이 먹은 사람이라네. 이제 이 아이를 어떻게 할 작정인가?"

"내 전 재산을 먹어 버렸으니 내가 데려가겠소!"

정승은 돌쇠의 두둑한 배짱[2]이 마음에 들었어. / "좋네, 그럼 내 딸을 데려가게나."

이렇게 해서 돌쇠는 좁쌀 한 톨로 정승 댁 딸에게 장가를 들게 되었단다.

❶ **백정** 소나 개, 돼지 따위를 잡는 일을 직업으로 하는 사람 ❷ **배짱** 조금도 굽히지 아니하고 버티어 나가는 성품이나 태도

5주 24회

해설편 12쪽

1 주제찾기

이야기의 특징을 설명한 문장의 빈칸에 알맞은 말을 보기에서 골라 쓰세요.

보기
사건 웃음 말 반복 강조

⇨ 예상하지 못한 [ ][ ]이 [ ][ ]해서 일어나기 때문에 흥미롭다.

2 제목찾기

이야기의 제목을 붙이려 합니다. 빈칸에 알맞은 말을 쓰세요.

⇨ ① [ ][ ][ ][ ]로 ② [ ][ ][ ]에게 장가 든 돌쇠

3 사실이해

'돌쇠'의 사람됨을 바르게 평가한 것은 어느 것입니까? ( )

① 옹졸하다. ② 매우 비겁하다.
③ 포기하기를 잘 한다. ④ 대들기를 잘 하고 사납다.
⑤ 일을 이리 저리 돌려 생각할 줄 안다.

4

미루어알기

이야기를 전달하는 문장의 말투에는 어떤 특징이 있습니까? .... (　　)

① 등장인물과 대화하는 것 같다.
② 사건에 전혀 간섭하지 않으려 한다.
③ 듣는 사람을 마주하고 말하는 듯하다.
④ 많은 관중을 두고 공연할 때의 말투이다.
⑤ 신하가 왕에게 굽실거리며 아부하는 것 같다.

5

세부내용

이야기의 배경은 어떻게 변화하고 있습니까? .... (　　)

① 시골에서 한양으로
② 시골에서 또 다른 시골로
③ 한양의 도성 밖에서 안으로
④ 한양의 도성 안에서 밖으로
⑤ 나라 안에서 나라 밖으로

6

적용하기

'돌쇠'의 행운에 걸맞은 아래 속담을 완성할 낱말을 쓰세요.

⇨ ☐☐이 넝쿨째로 굴러 떨어졌다.

7

요약하기

이야기에서 반복되는 작은 이야기의 짜임새를 정리한 것입니다. 빈칸에 알맞은 낱말을 보기에서 찾아 쓰세요.

보기
여행　　길　　소중　　필요　　없어　　대신　　다른

돌쇠가 ① ☐을 떠난다. → 하룻밤 묵을 집 주인에게 ② ☐☐한 것을 맡긴다. → 맡긴 것이 ③ ☐☐지거나 망가져서 못 쓰게 된다. → ④ ☐☐할 수 있는 다른 것을 받는다.

어휘 넓히기

뜻 낱말의 뜻풀이로 알맞은 것을 보기 에서 골라 괄호 안에 기호를 쓰세요.

(1) 머무르다 (　　　)
(2) 묵어가다 (　　　)
(3) 주저앉다 (　　　)

보기
㉠ 서 있던 자리에 그대로 힘없이 앉다. 일정한 곳에 그대로 자리잡고 살다.
㉡ 도중에 멈추거나 일시적으로 어떤 곳에 묵다.
㉢ 일정한 곳에 머물러서 자고 가다.

다지기 보기 에서 알맞은 낱말을 골라 아래의 빈칸을 채우세요.

보기
머무르다　　묵어가다　　주저앉다

(1) 이 호텔이 마음에 들어서 며칠 더 ☐☐☐☐.

(2) 동네를 떠나기 전, 좋아했던 나무 앞에서 한동안 ☐☐☐☐.

(3) 교통 사고 소식에 놀라 방바닥에 ☐☐☐☐.

넓히기 다음 한자어의 구성과 뜻을 알아보고, 빈칸에 알맞은 한자어를 쓰세요.

- **주막(酒** 술 주. **幕** 장막 막.) 시골 길가에서 밥과 술을 팔고, 돈을 받고 나그네를 묵게 하는 집.
- **재산(財** 보물 재. **産** 낳을 산.) 재화와 자산. 토지, 가옥, 귀금속, 따위의 금전적 가치가 있는 것.

(1) 많은 상인들이 한양으로 들어서는 길목에 있는 ☐☐에서 묵어갔다.

(2) 평생을 모은 ☐☐을 학생들을 위해 기부금으로 내어 놓았다.

시간 공부 날짜 ☐월 ☐일
푸는데 걸린 시간 ☐분

확인 맞은 개수 써보기

독해	개/7개	어휘	개/8개

5주 24회
해설편 12쪽

25

물건이나 동물을 사람처럼 꾸미는 표현 방법은 시에서 흔히 나타납니다. 사람처럼 꾸며진 물건이나 동물은 사람과 매우 친합니다. 그래서 서로 사랑하는 마음을 나누기도 하고 같은 느낌을 나누어 가지기도 해요. 이런 모습은 시를 감상하는 사람들에게 흐뭇한 감동을 주어요.

1. 15점 2. 15점 3. 15점 4. 15점 5. 10점 6. 15점 7. 15점

동주네 센둥이는
동주가 다니는 학교에
언제부턴가 제 자리를 만들었습니다.
학교 오는 길에 따라왔다
공부 다 마칠 때까지
그곳에서 기다립니다.

이따금 동주가 공부하는 교실에까지 들어와
책상 밑에서 낮잠을 자기도 합니다.
부끄러움 많은 동주가
교문 밖으로 아무리 쫓아 보내려 해도 그때뿐
어느 새 자기 자리에 와 있습니다.
선생님들의 고함 소리도 소용이 없습니다.

친구들에게 밥을 한 숟가락씩
얻어먹은 센둥이가 어디론가 놀러 갔다
학교 파한 동주보다 앞장서서 집으로 돌아갈 때는
얼마나 늠름한지 모릅니다.
다리를 다쳐 골목길에 쓰러져 있던
강아지를 주워다 이렇게 키워놓은
동주가 엄마처럼 웃으며 뒤따라갑니다.

1
주제찾기

시를 통해 전달하고자 하는 중심 내용은 무엇입니까? ( )

① 하교 길의 풍경
② 주인을 잘 따르는 개
③ 개와 사람이 주고받는 사랑
④ 친구들 사이의 우정
⑤ 인정 없는 선생님

2
제목찾기

빈칸을 채워 시의 제목을 붙여 보세요.

□□의 □

3
사실이해

동주와 센둥이가 함께 있는 곳은 어디입니까? ( )

① 집앞
② 자리
③ 교실
④ 책상
⑤ 골목길

4
미루어알기

시의 표현에 나타난 특징으로 알맞은 것은 무엇입니까? ( )

① 흉내말을 반복하고 있다.
② 모양을 비틀어서 웃음을 자아낸다.
③ 비슷한 모양의 구절을 반복하고 있다.
④ 사람 아닌 것을 사람인 것처럼 꾸미고 있다.
⑤ 같거나 비슷한 것들을 긴 문장으로 늘어놓고 있다.

해설편 13쪽

5
세부내용

시를 읽고 떠올릴 수 있는 장면이 아닌 것은 어느 것입니까? .... (　　)

① 센둥이가 동주를 따라 학교에 와서 기다린다.
② 센둥이가 동주가 공부하는 교실의 책상 밑에서 잔다.
③ 센둥이를 교문 밖으로 쫓아 보내도 다시 교실로 돌아온다.
④ 센둥이가 동주보다 앞장서고 동주가 웃으며 센둥이를 따라간다.
⑤ 센둥이가 밥을 먹고 싶어 하여 동주가 친구 것을 빼앗아서 먹인다.

6
적용하기

시에 담긴 동주와 센둥이의 마음을 (가)~(라)로 늘어놓았습니다. 시에 나타나는 순서에 따라 그 기호를 차례대로 쓰세요.

(가) 다른 사람에게 미안하고 부끄러운 동주의 마음
(나) 동주와 함께 있어 뿌듯해하는 센둥이의 마음
(다) 동주를 기다리며 깊은 정을 느끼는 센둥이의 마음
(라) 센둥이를 사랑스러워하는 동주의 마음

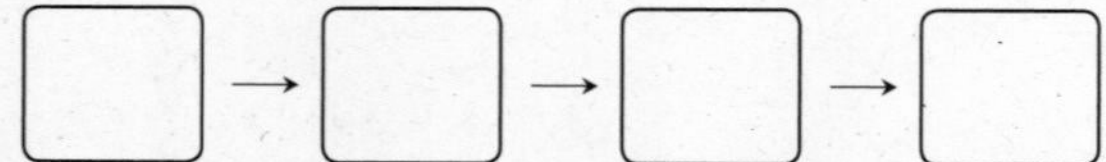

7
요약하기

시의 내용을 다음과 같이 세 항목으로 요약하였습니다. 빈칸에 공통으로 들어갈 낱말을 쓰세요.

- 동주를 따라다니는 ☐☐☐
- 동주를 무안하게 만든 ☐☐☐
- 동주가 사랑하는 ☐☐☐

어휘 넓히기

뜻 낱말의 뜻풀이로 알맞은 것을 보기 에서 골라 괄호 안에 기호를 쓰세요.

(1) 검둥이 ( )
(2) 센둥이 ( )

보기
㉠ 털빛이 흰 강아지를 귀엽게 이르는 말.
㉡ '검둥개'를 귀엽게 이르는 말.

다지기 보기 에서 알맞은 낱말을 골라 아래의 빈칸을 채우세요.

보기
센둥이 검둥이

(1) 여덟 마리 강아지 중, 털빛이 검은 [ ][ ][ ]를 유난히 좋아한다.
(2) 귀여운 흰 강아지에게 아예 [ ][ ][ ]라는 이름을 붙여 주었다.

넓히기 다음 한자어의 구성과 뜻을 알아보고, 빈칸에 알맞은 한자어를 쓰세요.

- **학교(學** 배울 학. **校** 학교 교.) 학생을 모아 놓고 배우도록 한 곳.
- **교실(敎** 가르칠 교. **室** 집 실.) 학습 활동이 이루어지는 방. 학생들을 모아 놓고 가르치는 방.

(1) 코흘리개부터 어른만한 아이들까지 함께 [ ][ ]에서 공부합니다.
(2) 여러 마을에서 온 아이들은 [ ][ ]라는 이름이 붙은 정문을 들어섭니다.

5주 25회

해설편 13쪽

시간 공부 날짜 [ ]월 [ ]일
푸는데 걸린 시간 [ ]분

확인 맞은 개수 써보기

독해	[ ]개/7개	어휘	[ ]개/6개

어휘·어법 총정리

보기의 낱말을 보고, 뜻과 어울리는 것을 골라 아래의 빈칸에 써보세요.

보기	부탁하다	협동심	알갱이	가마솥	지지다	재배하다	합성섬유	홀랑

1. 열매나 곡식 따위의 낱알.
2. 아주 크고 우묵한 솥.
3. 어떤 일을 해 달라고 청하거나 맡기다.
4. 서로 마음과 힘을 하나로 합하려는 마음.
5. 석유, 석탄, 천연가스 따위를 원료로 하여 화학적으로 합성한 섬유.
6. 속의 것이 한꺼번에 드러나도록 완전히 벗어지거나 뒤집히는 모양.
7. 국물을 조금 붓고 끓여서 익히다.
8. 식물을 심어 가꾸다.

어법 **다음 중 맞춤법에 맞는 것을 골라 동그라미 하세요.**

1. [두루뭉술하다 / 두루뭉실하다].
2. [잔치상 / 잔칫상]에 앉았다.
3. 떡에 [무늬 / 무니]를 찍었다.
4. 도토리로 [순 / 쑨] 묵.
5. [웬지 / 왠지] 어색하다.
6. [마굿간 / 마구간]에 있는 말.
7. 날밤을 [새다 / 세우다].
8. [베짱 / 배짱]이 두둑하다.

나의 점수 확인하기

어휘	개 / 8개	어법	개 / 8개

6주차

회차 / 영역	제목	계획 및 점검
26 인문|설명문	갯벌에 뭐가 사나 볼래요 • 나는 [ ] 월 [ ] 일 [ ] 시에 공부할 것입니다.	• 독해력에서 나의 점수는 [ ] 점입니다. • 어휘력에서 맞은 문제수는 [ ] 개 / 8개 입니다. • 어려웠던 문제는 ______ 번입니다.
27 사회|설명문	콩이 된장으로 변했어요 • 나는 [ ] 월 [ ] 일 [ ] 시에 공부할 것입니다.	• 독해력에서 나의 점수는 [ ] 점입니다. • 어휘력에서 맞은 문제수는 [ ] 개 / 8개 입니다. • 어려웠던 문제는 ______ 번입니다.
28 과학|설명문	살랑살랑 꼬리로 말해요 • 나는 [ ] 월 [ ] 일 [ ] 시에 공부할 것입니다.	• 독해력에서 나의 점수는 [ ] 점입니다. • 어휘력에서 맞은 문제수는 [ ] 개 / 8개 입니다. • 어려웠던 문제는 ______ 번입니다.
29 산문문학|이야기	종이 봉지 공주 • 나는 [ ] 월 [ ] 일 [ ] 시에 공부할 것입니다.	• 독해력에서 나의 점수는 [ ] 점입니다. • 어휘력에서 맞은 문제수는 [ ] 개 / 8개 입니다. • 어려웠던 문제는 ______ 번입니다.
30 운문문학|시	딱 하루만 더 아프고 싶다 • 나는 [ ] 월 [ ] 일 [ ] 시에 공부할 것입니다.	• 독해력에서 나의 점수는 [ ] 점입니다. • 어휘력에서 맞은 문제수는 [ ] 개 / 8개 입니다. • 어려웠던 문제는 ______ 번입니다.

• 이번 주 독해력 문제에서 나의 점수는 평균 [ ] 점입니다.

• 이번 주 어휘력에서 맞은 문제수는 모두 [ ] 개입니다.

26

밀물 때는 물에 잠기고 썰물 때는 물 밖으로 드러나는 모래 점토질의 평탄한 땅을 '갯벌'이라고 해요. 우리나라에서는 주로 서해안에 잘 발달했어요. 밀물과 썰물 때의 물높이의 차이가 클수록 갯벌이 잘 발달하거든요. 갯벌은 바닷물이 드나드는 모래톱, 또는 주변의 넓은 땅을 이르는 말이고, 개펄은 거무스름하고 고운 흙(개흙)이 깔린 부분만을 말합니다.

점수 계산 1. 15점 2. 15점 3. 10점 4. 15점 5. 15점 6. 15점 7. 15점

(가) 바다에도 밭이 있어요.
바로 갯벌이에요.
물이 빠지면 펄밭이 훤히 드러나요.

(나) 나는 갯마을에서 살아요.
날마다 갯벌에 나가서 놀지요.
날이 선선해지면 어른들은 ㉠갯일[1] 하러 나가요.
굴도 따고 게도 잡고 바지락도 캐고 파래도 뜯지요.

(다) 바지락바탕이에요.
바지락이 많이 난다고 바지락바탕이라고 해요.
요즘은 갯바닥이 온통 바지락 구멍투성이에요.
이걸 보고 바지락이 눈 떴다고 하지요.

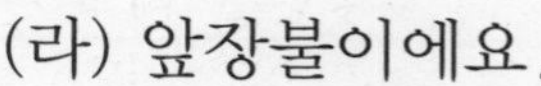

(라) 앞장불이에요.
앞마당이라는 뜻이에요.
앞장불에 들어가면 발이 푹푹 빠져요.
우리는 맨발로 질퍽거리며 놀지요.
발가락 사이로 뻘이 뿌지직뿌지직 삐져나와요.

(마) 뒷장불이에요.
뒷장불에는 갈대밭이 있어요.
갈대밭에 가면 방게가 바글바글해요. 갯지렁이도 많아요.
빛깔이 푸른 것도 있고 붉은 것도 있어요.

갯지렁이는 되게 길어요.

(바) ㉡마루장불이에요. 모래 똥 무더기는 달랑게와 엽낭게가 뱉어 놓은 거예요.
달랑게는 되게 빨라요. 달랑달랑 잘도 달아나지요.
모래 속을 기어 다니는 것은 큰구슬우렁이예요.
하느님배꼽이라고도 해요.

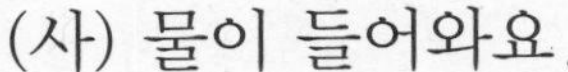

(사) 물이 들어와요.
이제 갯벌에서 얼른 나가야 해요.
바닷물은 빠질 때보다 들어올 때가 훨씬 빠르니까요.
새들도 물 따라 나갔다가 갯가[2]로 돌아왔어요.
우리도 갯가로 나왔어요.
내일은 어디에서 놀까요?

❶ 갯일 갯벌에서 바지락, 조개, 낙지 따위의 해산물을 채취하는 일. ❷ 갯가 바닷물이 드나드는 곳의 물가.

1 주제찾기

이 글의 중심 내용으로 알맞은 것을 고르세요. ( )

① 갯벌에서 일하기
② 갯벌의 놀이 방식
③ 갯벌의 여러 생물
④ 갯벌에서 살아가는 모습
⑤ 갯벌에서 물이 빠짐과 들어옴

2 제목찾기

글의 중심 낱말이 무엇인지 글에서 찾아 쓰세요.

( )

3 사실이해

㉠에 해당하는 동작이 아닌 것은 무엇입니까? ( )

① 따다
② 잡다
③ 캐다
④ 뜯다
⑤ 타다

4
미루어알기

"'개펄'은 갯가에 물이 고여서 거무스름하고 미끈미끈한 고운 흙이 깔려 있는 곳이다."라는 뜻을 알고, 이 글을 읽을 때, 새롭게 알게 된 사실을 고르세요. ( )

① '내'가 살고 있는 곳은 갯마을이다.
② '어른들'이 갯일을 한 곳은 갯가이다.
③ '우리'가 질퍽거리며 놀았던 곳은 개펄이다.
④ '우리'가 갯지렁이와 방게를 잡은 곳은 갯벌이다.
⑤ '우리'가 물이 들어올 때 빠져나와야 할 곳은 갯벌이다.

5
세부내용

㉡처럼 '-장불'이 붙어서 만들어진 낱말을 글에서 2개를 찾아 쓰세요.

⇨ ( )

6
적용하기

이 글이 아래와 같은 짜임새라면 다음 중 어떤 갈래와 닮았나요? ( )

배경 소개 → 인물의 등장 → 장소와 활동 → 활동 종결

① 시
② 이야기
③ 설명하는 글
④ 증명하는 글
⑤ 주장하는 글

7
요약하기

글의 (가)~(사) 중, '장소와 활동'에 속하는 것들을 모두 찾아 기호를 쓰세요.

⇨ ☐, ☐, ☐, ☐

어휘학습

뜻 낱말의 뜻풀이로 알맞은 것을 보기 에서 골라 괄호 안에 기호를 쓰세요.

(1) 갯가 (   )
(2) 갯벌 (   )
(3) 갯일 (   )

보기
㉠ '개'와 '벌'이 합쳐 하나가 된 말. 바닷물이 드나드는 곳[개]의 평평하게 넓은 땅[벌].
㉡ '개'와 '일'이 합쳐 하나가 된 말. 바닷물이 드나드는 곳[개]에서 하는 일.
㉢ '개'와 '가'가 합쳐 하나가 된 말. 바닷물이 드나드는 곳[개]의 물가.

다지기 보기 에서 알맞은 낱말을 골라 아래의 빈칸을 채우세요.

보기
갯가 갯벌 갯일

(1) 서해안에는 ☐☐이 넓게 펼쳐져 있어요.
(2) 갯마을에 사는 사람들은 주로 ☐☐을 하며 삽니다.
(3) 밀물 때 물이 빠르게 들어오기 때문에 ☐☐로 뛰어 나와야 해요.

넓히기 다음 한자어의 구성과 뜻을 알아보고, 빈칸에 알맞은 한자어를 쓰세요.

- **간석지(干** 방패 간. **潟** 개펄 석. **地** 땅 지.) 밀물 때는 물에 잠기고 썰물 때는 물 밖으로 드러나는 모래 점토질의 평탄한 땅. 곧 '갯벌'을 한자어로 표현한 말.
- **간척지(干** 방패 간. **拓** 넓힐 척. **地** 땅 지.) 바다나 호수 따위를 둘러막고 물을 빼내어 만든 땅.

(1) 서해안의 천수만을 둘러막고 물을 빼내어 ☐☐☐를 만들었어요.
(2) '갯벌'은 순우리말이고, 이것을 한자어로는 ☐☐☐라고 해요.

시간 공부 날짜 ☐ 월 ☐ 일
푸는데 걸린 시간 ☐ 분

확인 맞은 개수 써보기

독해	개/7개	어휘	개/8개

6주 26회

해설편 13쪽

27

우리의 대표적인 발효 식품이 된장입니다. 우리나라 음식의 간을 맞추고 맛을 내는 데 기본이 되는 식품이에요. 콩을 푹 삶아서 메주를 만들고, 이 메주를 따뜻한 곳에 두어 말립니다. 말린 메주는 다시 볏집에 묶어 띄우고, 잘 띄운 메주로 된장을 담급니다.

점수 계산 1. 10점 2. 15점 3. 15점 4. 15점 5. 15점 6. 15점 7. 15점

(가) 주말이 되어 부모님과 함께 할머니 댁으로 놀러 갔다. 인사를 드리고 방에 들어가니 할머니께서 메주를 방에 매달아 놓으셨다. 방에서 이상한 냄새가 났다.

"할머니, 냄새가 너무 심해요!" / "그래, 그래도 된장찌개는 잘 먹지?"

할머니는 메주가 익으면 된장을 담그신다. 나는 할머니께서 끓여 주시는 된장찌개를 좋아한다. 된장찌개만 있으면 밥을 두세 그릇도 뚝딱 해치운다. 그럴 때면 메주에서 냄새가 난다고 투덜거린 것이 죄송스럽다. 이렇게 맛있는 된장은 어떻게 만드는 것일까?

나는 메주로 된장을 만드는 과정을 책에서 자세히 알아보았다.

(나) 먼저 메주콩을 열두 시간 동안 물에 불린 뒤에 푹 삶습니다. 삶은 콩은 절구에 찧어 반죽처럼 만듭니다. 찧은 콩 반죽을 네모난 모양으로 ㉠□□ 메주를 만듭니다.

잘 만든 메주를 따뜻한 방에서 꾸덕꾸덕할 때까지 말립니다. 메주를 따뜻한 곳에 두면 우리 몸에 이로운 성분이 생깁니다. 2~3일간 메주를 잘 말려 볏짚으로 묶어 띄울 준비를 합니다.

메주를 볏짚으로 묶어 바람이 잘 통하는 곳에 매달아 놓습니다. 볏짚과 공기 중에는 메주를 발효시키는 여러 가지 미생물이 살고 있습니다.

메주를 서너 달 동안 매달아 놓으면 된장의 고유한 맛과 향기를 내는 미생물이 많이 퍼집니다. 이 성분을 사람이 먹으면 몸이 튼튼하고 건강하게 됩니다.

이렇게 잘 ㉡□□ 메주를 깨끗이 씻어서 적당히 햇볕에 말립니다. 그런 뒤, 항아리에 메주와 소금물을 넣습니다. ㉢<u>이때 붉은 고추와 숯을 함께 넣어 줍니</u>

다. 붉은 고추와 숯은 잡균과 냄새를 없애주는 역할을 합니다. 20~30일이 지나면 항아리에서 메주를 건져 냅니다. 건져 낸 메주를 삭혀 된장을 만듭니다.

(다) 된장이 만들어지는 과정을 조사하며 내가 맛있게 먹는 된장이 만들어지기까지 참 많은 시간과 노력이 필요하다는 것을 깨달았다. 할머니께서 정성으로 담그신 된장을 앞으로는 고마운 마음으로 더 맛있게 먹어야겠다.

1 주제찾기

이글을 쓰게 된 가장 중요한 이유는 무엇입니까? ············ (　　)

① 된장찌개 이야기　② 부모님의 외출

③ 할머니 댁 방문　④ 책을 읽은 감동

⑤ 된장 항아리를 보게 됨

2 제목찾기

글에 나온 낱말로 빈칸을 채워 글의 제목을 붙여 주세요.

□□ 만드는 방법

3 사실이해

글의 내용과 어긋나는 것은 어느 것입니까? ············ (　　)

① 콩을 삶아서 메주를 만든다.

② 메주를 말려서 볏짚으로 묶는다.

③ 메주를 말릴 때는 눅눅한 곳에 둔다.

④ 메주가 발효할 때까지 매달아 둔다.

⑤ 메주를 서너 달 동안 매달아 두면 미생물이 생긴다.

4 세부내용

㉠과 ㉡에 들어갈 낱말을 순서대로 늘어놓은 것은 어느 것입니까? ············ (　　)

① 빗어, 띄운　② 빗어, 담근

③ 띄워, 담근　④ 띄워, 빗어

⑤ 담가, 띄운

6주 27회

해설편 14쪽

5

미루어알기

㉢과 같이 하는 이유는 무엇입니까? ( )

① 색깔을 곱게 하려고
② 나쁜 귀신을 쫓으려고
③ 맛과 향기를 더하려고
④ 잡균과 냄새를 없애려고
⑤ 담근 이의 정성을 표하려고

6

적용하기

(나)의 짜임새를 아래의 표로 만들었습니다. 빈칸에 들어갈 말을 쓰세요.

콩을 삶아 ① □□를 만듭니다.

↓

말린 메주를 ② □□가 될 때까지 볏짚으로 묶어 바람이 잘 통하는 곳에 매달아 둡니다.

↓

메주를 씻어 햇볕에 말립니다.

↓

항아리에 메주와 ③ □□□을 넣고 한 달쯤 지나면 메주를 건져 삭힙니다.

7

요약하기

(가)와 (다)의 내용을 요약해 보았습니다. 빈칸에 알맞은 말을 쓰세요.

(가) 글감이 ① □□ 만들기임을 소개함.

(다) 소개한 내용에 대한 ② □□□과 다짐을 말함.

어휘학습

뜻

낱말의 뜻풀이로 알맞은 것을 보기 에서 골라 괄호 안에 기호를 쓰세요.

(1) 띄우다 (　　)
(2) 담그다 (　　)
(3) 삭히다 (　　)

보기
㉠ 김치 · 술 · 장 · 젓갈 따위를 만드는 재료를 버무리거나 물을 부어서, 익거나 삭도록 그릇에 넣어 두다.
㉡ 김치나 젓갈, 된장 따위의 음식물을 일정 시간 저장하여 맛이 들게 하다.
㉢ 미생물이 지니고 있는 효소의 작용으로 메주가 여러 가지 성분으로 나누어지게 하다.

다지기

보기 에서 알맞은 낱말을 골라 아래의 빈칸을 채우세요.

보기
띄우다　　담그다　　삭히다

(1) 항아리에 소금물을 붓고 메주를 넣어 장을 ☐☐☐.
(2) 메주를 바람이 잘 통하는 곳에 두어 ☐☐☐.
(3) 저장 기간을 적당히 하여 된장이 맛이 잘 들도록 ☐☐☐.

넓히기

다음 한자어의 구성과 뜻을 알아보고, 빈칸에 알맞은 한자어를 쓰세요.

- **과정(過** 거칠 과. 지날 과. **程** 길 정.) 일을 해나가면서 거쳐 가는 길.
- **성분(成** 이룰 성. **分** 부분 분. 나눌 분.) 전체를 이루고 있는 것의 한 부분.

(1) 모든 일은 결과만큼 ☐☐도 중요하다.
(2) 실험실에서 물질의 ☐☐이 무엇인지 알아보고 있다.

시간
공부 날짜 　월 　일
푸는데 걸린 시간 　분

확인
맞은 개수 써보기

독해	개/7개	어휘	개/8개

6주 27회

해설편 14쪽

28

글의 첫머리에 물음을 보이고 그 물음에 답하는 방식으로 펼친 글을 읽을 때는 첫머리의 물음에 대한 답이 무엇 무엇인지 순서대로 찾아주면 되어요. 가끔 물음에 대한 답으로 어울리지 않는 내용이 나오더라도 그다지 신경을 쓰지 않아도 되어요. 그런 건 내용을 간추릴 때 아예 빼어버려도 상관없답니다.

1. 15점 2. 10점 3. 15점 4. 15점 5. 15점 6. 15점 7. 15점

동물들은 대부분 꼬리가 있어요. 꼬리는 왜 있을까요?

개와 늑대, 그리고 그 밖의 많은 동물이 꼬리로 이야기를 해요. 늑대가 꼬리를 하늘을 향해 쭉 뻗으면, “내가 대장이야!”라는 뜻이에요. 서서 꼬리를 늘어뜨리고 있으면 “관심 없어.”라는 표시이지요. 꼬리를 비스듬히 옆으로 향하게 하면 “꼼짝 않고 있을게.”, 꼬리를 왼쪽, 오른쪽으로 부드럽게 살랑살랑 흔들면 “기분이 좋아.”라고 말하는 거예요.

새나 하늘다람쥐처럼 나무 사이를 날아다니는 동물들은 꼬리를 움직여 방향을 잡아요. 하늘다람쥐는 나무 사이를 건널 때 꼬리로 방향을 조절해요. 그리고 많은 동물이 꼬리를 써서 몸의 균형을 잡거나 방향을 바꿔요.

아주 별난 방식으로 꼬리를 쓰는 동물들도 있어요. 똑바로 서기 위하여 꼬리로 버티는 거예요! 캥거루, 미어캣, 황제펭귄 같은 동물들은 꼬리로 땅을 힘껏 누르면서 똑바로 서 있답니다. 딱따구리는 꼬리를 아래로 향하고 몸을 세워 나무에 붙어 있지요.

어떤 동물들은 꼬리로 위험하다는 신호를 보낸답니다. 흰꼬리사슴이 무서운 동물을 피해 도망을 갈 때 그 꼬리를 보면 달아나려는 방향을 알 수 있어요. 비버는 위험이 다가오면 꼬리로 물을 찰싹찰싹 쳐서 다른 비버들에게 일러 줘요. 방울뱀은 꼬리를 흔들어 다른 동물들이 가까이 오지 못하게 해요.

꼬리는 해충[1]이나 적을 쫓아 버리는 데도 쓸모가 있어요. 꼬리는 훌륭한 파리채예요. 말, 기린, 사자, 젖소 등은 꼬리로 해충이나 적을 쫓아버린답니다.

세상에서 꼬리를 가장 잘 쓰는 동물 가운데에 하나는 주머니쥐일 거예요. 꼬리로 나무에 매달리기도 하고, 나뭇가지나 풀잎을 붙잡기도 하죠. 아기 주머니쥐들은 엄마 주머니쥐의 꼬리에 매달려 어리광을 부리기도 한답니다.

낱말 풀이

❶ 해충 생활에 해를 끼치는 벌레를 통틀어 이르는 말

1 주제찾기

글의 중심 내용은 무엇입니까? ( )

① 꼬리로 하는 일
② 꼬리가 있는 동물
③ 꼬리가 긴 동물
④ 꼬리가 짧은 동물
⑤ 꼬리가 동물에게 생긴 이유

2 제목찾기

글에 있는 낱말로 빈칸을 채워 알맞은 제목을 붙이세요.

동물들 [ ][ ]의 쓰임새

3 사실이해

글을 펼쳐나간 방식으로 알맞은 것은 어느 것입니까? ( )

① 쉬운 내용에서 어려운 내용으로 펼쳤다.
② 어려운 내용에서 쉬운 내용으로 펼쳤다.
③ 스스로 묻고 그 물음에 대해 답을 펼쳤다.
④ 중심 내용에 뒷받침하는 내용을 이어갔다.
⑤ 뒷받침 내용을 중심 내용으로 간추려갔다.

4 미루어알기

글을 읽고 나서 더 알고 싶은 내용으로 볼 수 있는 것은 무엇일까요? ( )

① 개와 늑대는 꼬리로 어떤 뜻을 드러낼까?
② 하늘다람쥐는 날 때 왜 꼬리를 움직일까?
③ 딱따구리는 꼬리를 아래로 향해 무엇을 할까?
④ 청설모와 치타도 꼬리로 몸의 균형을 잡을까?
⑤ 흰꼬리사슴의 꼬리를 보면 도망갈 방향을 알 수 있을까?

해설편 14쪽

5
세부내용

꼬리의 쓰임새가 <u>다른</u> 동물을 고르세요. ( )

① 말 ② 개
③ 기린 ④ 사자
⑤ 젖소

6
적용하기

이 글을 읽고 생각한 내용으로 알맞은 것을 고르세요. ( )

① 동물은 꼬리로 걸을 수 있군요.
② 동물은 꼬리로 싸움도 하는군요.
③ 동물은 꼬리로 이야기하는 건 아니죠.
④ 동물 중에 꼬리로 날아다니는 동물도 있군요.
⑤ 동물의 꼬리로 신호를 보내고 소통을 하는군요.

7
요약하기

글의 중심 내용을 아래의 표로 간추리려고 합니다. 빈칸을 채워 완성하세요.

동물	꼬리로 하는 일
개, ① □□	꼬리로 이야기를 합니다.
새, 하늘다람쥐	꼬리를 움직여 ② □□을 잡습니다.
③ □□□, 미어캣, 황제펭귄	꼬리로 땅을 힘껏 누르면서 똑바로 서 있습니다.
흰꼬리사슴, 비버, 방울뱀	꼬리로 위험하다는 ④ □□를 보냅니다.
말, 기린, 사자, ⑤ □□	꼬리로 해충이나 적을 쫓아 버립니다.
주머니쥐	꼬리로 ⑥ □□에 매달리거나 나뭇가지, 풀잎을 붙잡기도 합니다.

어휘학습

뜻 낱말의 뜻풀이로 알맞은 것을 보기 에서 골라 괄호 안에 기호를 쓰세요.

(1) 머리 (　　　)
(2) 몸통 (　　　)
(3) 꼬리 (　　　)

보기
㉠ 동물의 꽁무니나 몸뚱이의 뒤 끝에 붙어서 조금 나와 있는 부분.
㉡ 사람이나 동물의 목 위의 부분. 눈, 코, 입 따위가 있는 얼굴을 포함하며 머리털이 있는 부분을 이름.
㉢ 사람이나 동물의 몸에서 머리, 팔, 다리, 날개, 꼬리 등 딸린 것들을 제외한 가슴과 배 부분.

다지기 보기 에서 알맞은 낱말을 골라 아래의 빈칸을 채우세요.

보기
머리　　몸통　　꼬리

(1) 동물은 대개 ☐☐로 방향을 잡아 앞으로 나아갑니다.

(2) 말과 젖소는 ☐☐를 휘둘러 파리를 쫓아 버려요.

(3) 동물의 ☐☐에 팔, 다리, 날개, 꼬리 등이 달려 있어요.

넓히기 다음 한자어의 구성과 뜻을 알아보고, 빈칸에 알맞은 한자어를 쓰세요.

- **관심(關** 관계할 관. **心** 마음 심.) 마음이 끌려 주의를 기울임. 또는 그런 마음이나 주의.
- **방향(方** 방위 방. **向** 향할 향.) 어떤 뜻이나 현상이 일정한 목표를 향하여 나아가는 쪽.

(1) 등산할 때 나침반이 없으면 ☐☐을 잃어버리고 헤매게 된다.

(2) 아무리 구해달라고 해도 ☐☐이 없는 듯 얼굴을 돌려버린다.

시간 공부 날짜 ☐월 ☐일
푸는데 걸린 시간 ☐분

확인 맞은 개수 써보기

독해	☐개/7개	어휘	☐개/8개

6주 28회

해설편 14쪽

29

이야기의 시작에 나온 내용이 끝에 가서 뒤집어지는 경우가 있습니다. 예를 들어 결혼하기로 한 두 사람이 결혼하지 않기로 했다는 식으로. 이런 이야기에서는 왜 그렇게 뒤집어졌는지가 중심 내용이 되어요. 이런 이야기를 읽을 때는 당연히 일이 뒤집어진 까닭을 찾아내는 데 힘을 다해야죠.

1. 15점 2. 10점 3. 15점 4. 15점 5. 15점 6. 15점 7. 15점

어느 날 아침 무렵, 무서운 용 한 마리가 나타나 공주의 성을 부수고 뜨거운 불길을 내뿜어 공주의 옷을 몽땅 불사르고 로널드 왕자를 잡아가 버렸습니다. 공주는 용을 뒤쫓아 가서 왕자를 구해 오기로 결심하였습니다. 그런데 옷이 몽땅 타 버려서 입을 것을 찾아야 하였습니다. 공주는 사방을 둘러보았습니다. 그때 종이 봉지 한 장이 눈에 띄었습니다. 공주는 종이 봉지를 주워 입고 용을 찾아 나섰습니다.

용이 지나간 길목에 있는 숲은 모두 타 버리고 그 자리에는 말뼈들만 뒹굴고 있습니다. 공주는 용이 지나간 흔적을 따라 계속 걸어갔습니다. 점심때가 채 안 되어서 마침내 공주는 어느 동굴 앞에 다다랐습니다. 동굴에는 굉장히 큰 문이 달려 있었고, 문 두드릴 때 쓰는 커다란 쇠붙이도 있었습니다. 공주는 쇠붙이를 잡고 문을 쾅쾅 두드렸습니다. 용이 문밖으로 삐죽 코를 내밀었습니다.

"우아, 공주님이시로군요! 난 공주를 좋아하지. 그런데 오늘은 이미 성 한 채를 통째로 삼켜서 배가 부른걸. 난 지금 몹시 바쁘니 내일 다시 와."

용은 문을 쾅 닫았습니다. 그 바람에 공주는 하마터면 문에 코를 찧을 뻔하였습니다. / 공주는 문고리를 잡고 다시 문을 쾅쾅 두드렸습니다. 용이 또 문밖으로 삐죽 코를 내밀었습니다.

"가! 가라니까. 난 공주를 좋아해. 그런데 오늘은 이미 성 한 채를 통째로 삼켰다니까. 난 지금 몹시 바빠. 그러니 내일 다시 와." / 잠시 뒤에 공주가 물었습니다.

"잠깐만, 네가 이 세상에서 가장 머리가 좋고 가장 용감한 용이라던데, 정말이니?"

"그럼, 정말이지." / "네가 불을 한 번 내뿜으면 숲 열 군데가 한꺼번에 타 버린다던데, 정말이니?" / "그럼, 정말이지."

용은 숨을 깊이 몰아쉬더니 활활 불을 내뿜었습니다. 숲 쉰 군데가 한꺼번에 불에 타버렸습니다. 또, 공주가 말하였습니다. / "너, 정말 멋지구나."

용은 다시 한 번 큰 숨을 크게 들이쉬고 활활 불을 내뿜었습니다. 이번에는 숲 백 군데가 타버렸습니다.

공주가 말하였습니다. / "너, 참 무시무시하구나."

용은 또다시 깊은 숨을 들이쉬었으나 이번에는 헛바람만 나왔습니다. 이제 용에게는 달걀 한 알 익힐 만큼의 불씨도 남아 있지 않았습니다. / 공주는 또 물었습니다.

"용아, 네가 하늘로 날아오르면 십 초 안에 세상을 한 바퀴 돌아올 수 있다던데, 그것도 정말이니?" / "아이참, 정말이라니까."

용은 훌쩍 뛰어 날아서 세상을 한 바퀴 돌았습니다. 꼭 십 초 뒤에 용은 몹시 지쳐서 돌아왔습니다. 공주가 말하였습니다. / "너, 참 멋지구나. 한 번 더 해 봐!"

용은 훌쩍 뛰어 날아서 세상을 또 한 바퀴 돌고 돌아왔습니다. 이번에는 이십 초가 걸렸습니다. 이제 용은 너무 지쳐서 말도 못 하고 픽 쓰러져 곯아떨어졌습니다.

"얘. 용아!" / 공주는 작은 소리로 용을 불렀습니다. 하지만 용은 꼼짝도 하지 않았습니다. 공주는 용의 귀에다 머리를 들이밀고 목청껏 소리쳤습니다.

"얘, 용아!" / 용은 너무 지쳐서 꼼짝도 하지 않았습니다.

해가 서쪽으로 기울어질 때쯤에 공주는 훌쩍 용을 타 넘어 동굴로 가서 문을 열었습니다. 로널드 왕자가 안에서 뛰어나왔습니다. 왕자는 공주를 보더니 대뜸 이렇게 말하였습니다.

㉠"엘리자베스! 너, 꼴이 엉망이구나! 아이고, 탄내야, 머리는 온통 헝클어지고, 더럽고 찢어진 종이 봉지나 뒤집어쓰고……. 진짜 공주처럼 챙겨 입고 다시 와!"

왕자의 말을 듣고 난 뒤에 공주가 말하였습니다.

"그래, 로널드, 넌 옷도 멋지고 머리도 단정해. 진짜 왕자 같아. 하지만 넌 겉만 번지르르한 껍데기야." / 결국 두 사람은 결혼하지 않았습니다.

1 주제찾기

이야기를 읽고 나서 어떤 가르침을 새겨볼 수 있습니까? ( )

① 노력하면 어려움을 이겨낼 수 있다.
② 어렵다고 해서 쉽게 포기해서는 안 된다.
③ 사람을 겉모습만 보고 평가해서는 안 된다.
④ 오늘 할 일을 내일로 미루어서는 안 된다.
⑤ 다투기보다 어울리면서 살아야 한다.

2 제목찾기

공주가 용을 물리치러 갈 때 입은 것을 생각하며 이야기의 제목을 완성하세요.

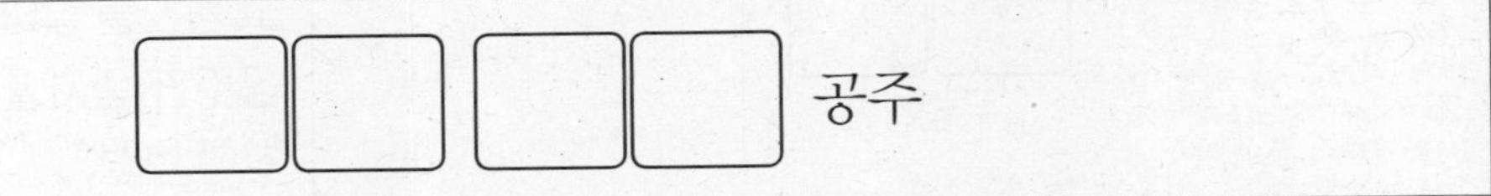

3 사실이해

사건에 대한 설명으로 알맞은 것은 어느 것입니까? ( )

① 하루 동안 일어났다.
② 꼬리를 물고 일어났다.
③ 같은 장소에서 일어났다.
④ 여러 해에 걸쳐 일어났다.
⑤ 왕자를 중심으로 일어났다.

6주 29회 해설편 15쪽

4

미루어알기

㉠을 말한 왕자는 어떤 사람이라 할 수 있습니까? ( )

① 말을 함부로 하는 사람
② 흠잡기 좋아하는 사람
③ 나만 좋으면 되는 사람
④ 겉모습을 중요하게 보는 사람
⑤ 부자가 최고라는 사람

5

세부내용

공주가 용을 물리치기 위해 꾸민 일은 무엇입니까? ( )

① 성내기
② 칭찬하기
③ 비난하기
④ 원망하기
⑤ 수다 떨기

6

적용하기

이 글을 연극으로 바꾸려 합니다. 아래 빈칸에 무대로 꾸미기에 알맞은 장소를 글에서 찾아 쓰세요.

⇨ 공주의 성 → 타버린 숲 속 → □□ 앞

7

요약하기

이야기의 주요 내용을 아래와 같이 간추렸습니다. 빈칸에 알맞은 말을 쓰세요.

시간	장소	사건
① □□ 무렵	공주의 성	용이 공주의 성을 부수고 불길로 공주의 옷을 불사르고 왕자를 잡아감. 공주가 왕자를 구하기 위해 종이 봉지를 입고 용을 찾아 나섬.
점심때가 채 안 되어서	② □□ 문앞	용을 찾아간 공주가 뛰어난 지혜로 용의 힘을 빼서 잠재움.
해가 서쪽으로 기울어질 때쯤	동굴 앞	왕자는 자신을 구해준 공주를 보고 잘 차려 입고 다시 오라고 함. 공주가 왕자와 ③ □□하지 않기로 함.

어휘학습

뜻 낱말의 뜻풀이로 알맞은 것을 보기 에서 골라 괄호 안에 기호를 쓰세요.

(1) 덩이 (　　　)
(2) 군데 (　　　)
(3) 바퀴 (　　　)

보기
㉠ 낱낱의 곳을 세는 단위. 수를 뜻하는 말이 앞에 놓임.
㉡ 작게 뭉쳐서 이루어진 것을 세는 단위.
㉢ 어떤 둘레를 빙 돌아서 제자리까지 돌아오는 횟수를 세는 단위.

다지기 보기 에서 알맞은 낱말을 골라 아래의 빈칸을 채우세요.

보기
덩이　　군데　　바퀴

(1) 빵을 한 ☐☐를 훔쳤어도, 훔친 건 훔친 거다.
(2) 운동장 열 ☐☐를 돌아야 한다니 시작도 하기 전에 지친다.
(3) 엄마는 내가 다닐 학원을 두어 ☐☐를 보아두었다.

6주 29회

해설편 15쪽

넓히기 다음 한자어의 구성과 뜻을 알아보고, 빈칸에 알맞은 한자어를 쓰세요.

- **봉지(封** 봉할 봉. **紙** 종이 지.) 종이나 비닐 따위로 물건을 넣을 수 있게 만든 주머니.
- **동굴(洞** 골짜기 동. **窟** 굴 굴.) 깊고 넓으며 컴컴한 큰 굴.

(1) 컴컴한 ☐☐에 갇혀 있다가 탁 트인 광장으로 나온 기분은 말로 표현하기 어렵다.
(2) 호떡 장수는 ☐☐ 하나를 꺼내어서 그 속에다 갓 구운 호떡을 넣어 준다.

시간 공부 날짜 ☐ 월 ☐ 일
푸는데 걸린 시간 ☐ 분

확인 맞은 개수 써보기

독해	개/7개	어휘	개/8개

30

시는 목소리를 내는 사람이 특별한 처지에서 겪었던 감정을 표현해요. 그렇게 표현한 감정이 시의 중심 내용을 이루어요. 시를 감상할 때는 내가 그런 처지에 놓이게 될 때를 떠올려보고, 시에서 말하는 사람과 나의 감정이 어떤 점에서 같고, 다른지 서로 견주어보아요.

1. 15점 2. 15점 3. 15점 4. 15점 5. 10점 6. 15점 7. 15점

하루 종일
골목골목 돌아다니며
손수레에 폐지 담는 할머니
내가 감기 몸살로 결석하자
일도 안 나가고
물수건으로 얼굴 닦아 주고
죽 먹여 주고
약 먹여 주고
이불까지 덮어 주고는
곁에서 걸레로 조용히 방을 닦는다
할머니 나 먹여 살리려면
일 나가야 하는데
㉠<u>딱 하루만 더</u>
<u>아프고 싶다</u>

1

주제찾기

시에서 떠올릴 수 있는 가장 감동적인 장면은 무엇입니까? ········· (　　)

① 골목골목 돌아다닌다.

② 순수레에 폐지를 담는다.

③ 할머니가 일을 안 나가셨다.

④ 감기 몸살로 결석을 하게 되었다.

⑤ 나와 할머니가 따뜻하게 정을 나눈다.

2

글감찾기

시에 등장하는 인물을 모두 찾아 쓰세요.

(　　　　　　　　)

3

사실이해

시에서 이야기가 본격적으로 시작되는 곳은 어디서부터입니까? ········· (　　)

① 손수레에 폐지 담는 할머니

② 내가 감기 몸살로 결석하자

③ 물수건으로 얼굴 닦아 주고

④ 이불까지 덮어주고는

⑤ 할머니 나 먹여 살리려면

4

미루어알기

㉠과 같이 말한 까닭으로 알맞은 것은 어느 것입니까? ········· (　　)

① 할머니가 안타까워서

② 내가 학교를 안 나가서

③ 할머니의 돌봄을 받고 싶어서

④ 나를 먹여 살려야 해서

⑤ 하루만 쉬는 날이어서

해설편 15쪽

5
세부내용

시 속의 '나'는 어떤 상황에 놓여 있습니까? ( )

① 일을 나갈 수가 없다.
② 골목골목 돌아다닌다.
③ 감기 몸살로 결석한다.
④ 손수레에 폐지를 담는다.
⑤ 가족을 먹여 살려야 한다.

6
적용하기

시를 감상하면서 무엇인가를 느끼기 위해 해야 할 알맞은 일을 서로 연결해 보세요.

⑴ 시에 담긴 마음을 짐작하여 봅니다. ●	● ㉠ 내가 아플 때 엄마가 내 이마에 손을 얹으며 걱정해 줬던 일이 생각나네.
⑵ 시를 읽으면서 시의 장면을 떠올려 봅니다. ●	● ㉡ 할머니와 함께 있고 싶어서 더 아팠으면 좋겠다고 한 것 같아.
⑶ 자신의 비슷한 경험과 비교하여 봅니다. ●	● ㉢ 할머니께서 일도 못 나가시고 아픈 '나'를 돌보아 주고 계시네.

7
요약하기

'나'의 마음을 차지하고 있는 가장 강한 감정은 무엇입니까? ( )

① 외로움
② 섭섭함
③ 두려움
④ 못마땅함
⑤ 부끄러움

어휘학습

뜻 낱말의 뜻풀이로 알맞은 것을 보기 에서 골라 괄호 안에 기호를 쓰세요.

(1) 손수레 (　　)
(2) 솜이불 (　　)
(3) 물수건 (　　)

보기
㉠ 물에 적신 수건.
㉡ 사람이 직접 손으로 끄는 수레.
㉢ 안에 솜을 두어 만든 이불.

다지기 보기 에서 알맞은 낱말을 골라 아래의 빈칸을 채우세요.

보기
손수레　물수건　솜이불

(1) 날씨가 추워 다락방 구석에서 두꺼운 □□□을 꺼냈다.
(2) 소년이 □□□를 덜컹이며 자갈길을 올라간다.
(3) 힘든 일을 하고 따뜻한 □□□으로 다리 근육을 찜질하다.

넓히기 다음 한자어의 구성과 뜻을 알아보고, 빈칸에 알맞은 한자어를 쓰세요.

- **폐지(廢** 폐할 폐, **紙** 종이 지.) 못 쓰게 되어 버린 종이.
- **감기(感** 느낄 감, **氣** 기운 기.) 코가 막히고 열이 나며 머리가 아픈 병.

(1) 덥다고 이불을 걷어차고 자더니 □□에 걸렸나 보다.
(2) 이번 주에 □□ 수거함 정리 당번은 나다.

시간 공부 날짜 　월 　일
푸는데 걸린 시간 　분

확인 맞은 개수 써보기

독해	개/7개	어휘	개/8개

6주 30회
해설편 15쪽

어휘·어법 총정리

6주차

[보기]의 낱말을 보고, 뜻과 어울리는 것을 골라 아래의 빈칸에 써보세요.

보기: 신선하다 갯바닥 투덜거리다 꾸덕꾸덕 발효하다 조사하다 늘어뜨리다 내뿜다

1. 남이 알아듣기 어려울 정도의 낮은 목소리로 자꾸 불평을 하다. [ ]
2. 물기 있는 물체의 거죽이 조금 마르거나 얼어서 꽤 굳어진 상태. [ ]
3. 새롭고 산뜻하다. 채소나 과일, 생선 따위가 싱싱하다. [ ]
4. 개울이나 개의 바닥. [ ]
5. 속에 있는 것을 밖으로 향하여 세차게 밀어 내다. [ ]
6. 사물의 한쪽 끝을 아래로 처지게 하다. [ ]
7. 사물의 내용을 명확히 알기 위하여 자세히 살펴보거나 찾아보다. [ ]
8. 효모나 세균 따위의 미생물이 유기 화합물을 분해하여 알코올류, 유기산류, 이산화 탄소 따위가 생기다. [ ]

어법

다음 중 맞춤법에 맞는 것을 골라 동그라미 하세요.

1. [갯벌 / 개뻘]에서 게를 잡다.
2. [뱃곱 / 배꼽] 빠지게 웃었다.
3. [찌개 / 찌게]면 뭐든 잘 먹는다.
4. 콩을 [찧어 / 찍어] 반죽을 만든다.
5. [볏짚 / 볏집 / 볏짚]으로 묶었다.
6. 잘 [삭혀 / 삭여]서 맛있다.
7. 꼬리를 [비스듬이 / 비스듬히] 세웠다.
8. 메주를 [매달아 / 메달아] 뒀다.

확인

나의 점수 확인하기

어휘	개 / 8개	어법	개 / 8개

7주차

회차 / 영역	제목	계획 및 점검
31 인문|논설문	빨강 두건 아씨께 • 나는 [ ] 월 [ ] 일 [ ] 시에 공부할 것입니다.	• 독해력에서 나의 점수는 [ ] 점입니다. • 어휘력에서 맞은 문제수는 [ ] 개/8개 입니다. • 어려웠던 문제는 ______ 번입니다.
32 사회|논설문	좋은 습관을 길러요 • 나는 [ ] 월 [ ] 일 [ ] 시에 공부할 것입니다.	• 독해력에서 나의 점수는 [ ] 점입니다. • 어휘력에서 맞은 문제수는 [ ] 개/8개 입니다. • 어려웠던 문제는 ______ 번입니다.
33 예술|설명문	내 손으로 그리는 명화 • 나는 [ ] 월 [ ] 일 [ ] 시에 공부할 것입니다.	• 독해력에서 나의 점수는 [ ] 점입니다. • 어휘력에서 맞은 문제수는 [ ] 개/7개 입니다. • 어려웠던 문제는 ______ 번입니다.
34 산문문학|이야기	아낌없이 주는 나무 • 나는 [ ] 월 [ ] 일 [ ] 시에 공부할 것입니다.	• 독해력에서 나의 점수는 [ ] 점입니다. • 어휘력에서 맞은 문제수는 [ ] 개/8개 입니다. • 어려웠던 문제는 ______ 번입니다.
35 운문문학|시	형과 목욕탕 다녀오기 • 나는 [ ] 월 [ ] 일 [ ] 시에 공부할 것입니다.	• 독해력에서 나의 점수는 [ ] 점입니다. • 어휘력에서 맞은 문제수는 [ ] 개/8개 입니다. • 어려웠던 문제는 ______ 번입니다.

• 이번 주 독해력 문제에서 나의 점수는 평균 [ ] 점입니다.

• 이번 주 어휘력에서 맞은 문제수는 모두 [ ] 개입니다.

31

자신의 생각이 어떠한지 펼쳐 보인 것을 '의견'이라고 해요. 옳고 그름, 낫고 못함 등을 가려서 말하는 방식이지요. 의견을 말할 때는 그 의견의 내용뿐만 아니라 그런 의견을 가지게 된 까닭을 함께 말해야 해요. 이 글의 형식은 편지글이지만 글쓴이의 느낌과 생각을 전하려는 주장하는 글에 가까워요.

1. 15점 2. 15점 3. 10점 4. 15점 5. 15점 6. 15점 7. 15점

빨강 두건 아씨 안녕하세요?

저는 얼마 전에 도서관에서 옛날 그림이 많이 그려져 있는 책을 발견하였습니다. 그 책을 펼쳤다가 아씨와 일곱 동무를 만나게 되었답니다.

빨강 두건 아씨께는 바느질을 도와주는 일곱 동무가 있었어요. 아씨의 일곱 동무인 자, 가위, 바늘, 실, 골무, 인두, 다리미는 서로 자기가 중요하다며 싸우고 잘난 체하였어요. 그래서 아씨의 바느질이 제대로 될 수 없었지요.

아씨께서는 자, 가위, 바늘, 실, 골무❶, 인두❷, 다리미 중에서 어느 것이 가장 중요하다고 생각하셨어요? ㉠ <u>저는 일곱 동무 모두가 중요하다고 생각합니다. 왜냐하면 그중에서 어느 것 하나라도 없으면 바느질을 잘할 수 없기 때문입니다.</u>

이 책을 읽으면서 공부할 때 저를 도와주는 고마운 동무들이 떠올랐습니다. 책, 연필, 공책, 색연필, 지우개, 자, 필통들이 모두 제게 꼭 필요한 친구들입니다. 그중에서 어느 것 하나라도 없으면 공부를 잘할 수 없을 것입니다.

아씨, 저는 빨강 두건 아씨께서 어떤 때에는 좀 무서운 분이시라고 느꼈습니다. 일곱 동무가 잘난 체하고 서로 다툰다고 화를 내셨잖아요. 하지만 그렇게 무섭게 화내시기보다 타일러서 서로 사이좋게 지내게 하는 것이 더욱 좋지 않을까요? 그러면 모두 서로 잘못한 것을 깨닫고 부끄러워하며 더욱 사이가 좋아질 것입니다.

저는 이 책을 읽고 바느질에 쓰이는 물건들을 잘 알 수 있었어요. 그리고 아씨의 일곱 동무가 저마다 하는 일이 다 달라도 똑같이 소중하다는 것을 느꼈답니다.

이제 아씨께서는 일곱 동무의 도움을 받으며 더욱 바느질을 꼼꼼히 잘하고 계시겠지요? 저도 늘 제 곁에서 공부를 도와주는 물건들을 동무처럼 생각하고 지내겠습니다. 그러면 외롭지도 않고 더욱 힘이 난다는 것을 알았으니까요!

빨강 두건 아씨. 그럼 일곱 동무와 다정하게 이야기를 나누면서 예쁘고 튼튼한 옷 많이 지으세요. 안녕히 계세요!

낱말풀이 ❶ 골무 바느질할 때 바늘귀를 밀기 위하여 손가락에 끼는 도구. ❷ 인두 바느질 할 때 불에 달구어 천의 구김살을 눌러 펴거나 솔기를 꺾어 누르는 데 쓰는 기구. 쇠로 만들며 바닥이 반반하고 긴 손잡이가 달려 있다.

1 주제찾기

글의 주요 내용을 간추렸습니다. 보기 에서 알맞은 낱말을 골라 빈칸을 채우세요.

보기: 소문 느낌 감상문 기행문

빨강 두건 아씨와 일곱 동무를 읽은 후 생각과 ① ☐☐을 적은 독서 ② ☐☐☐이다.

2 글감찾기

'빨강 두건 아씨'의 '일곱 동무'는 무엇을 할 때 사용하는 물건인가요? ( )

① 빨래 ② 다림질 ③ 바느질
④ 물레질 ⑤ 소꿉놀이

3 사실이해

글의 형식은 무엇을 빌려서 썼습니까? ( )

① 편지 ② 일기 ③ 기사
④ 사설 ⑤ 소설

4 미루어알기

글에서, 읽은 책의 내용을 옮겨 놓은 것은 어느 것입니까? ( )

① 인물을 평가한 부분
② 인물에 대한 느낌을 말한 부분
③ 사건을 해석한 부분
④ 줄거리를 요약한 부분
⑤ 새롭게 떠올린 생각을 나타낸 부분

해설편 16쪽

5
세부내용

㉠의 두 문장은 어떤 짜임새를 보여줍니까? ( )

① 근거+의견
② 의견+근거
③ 예시+단정
④ 근거+주장
⑤ 단정+예시

6
적용하기

글에서처럼 읽은 책의 내용뿐만 아니라 자신의 생각이나 느낌도 함께 나타내면 어떤 효과가 있나요? ( )

① 책의 내용을 쉽게 요약할 수 있다.
② 줄거리를 생생하게 떠올릴 수 있다.
③ 길더라도 지루하지 않게 읽을 수 있다.
④ 다른 사람에게 읽는 솜씨를 자랑할 수 있다.
⑤ 읽은 사람의 감동을 보다 생생하게 전할 수 있다.

7
요약하기

글을 다시 읽고 책의 내용에 해당하는 것에는 ○를, 글쓴이의 생각이나 느낌에 해당하는 것에는 ★을 표시하세요.

글	표시
(1) 아씨의 일곱 동무인 자, 가위, 바늘, 실, 골무, 인두, 다리미는 서로 자기가 중요하다며 싸우고 잘난 체하였어요.	
(2) 저는 일곱 동무 모두가 중요하다고 생각합니다. 왜냐하면 그중에서 하나라도 없으면 바느질을 잘할 수 없기 때문입니다.	
(3) 이 책을 읽으면서 공부할 때 저를 도와주는 고마운 동무들이 떠올랐습니다.	
(4) 일곱 동무들이 잘난 체하고 서로 다툰다고 화를 내셨잖아요.	
(5) 아씨, 저는 빨강 두건 아씨께서 어떤 때에는 좀 무서운 분이시라고 느꼈습니다.	
(6) 저도 늘 제 곁에서 공부를 도와주는 물건들을 동무처럼 생각하고 지내겠습니다. 그러면 외롭지도 않고 더욱 힘이 난다는 것을 알았으니까요.	

어휘학습

뜻 낱말의 뜻풀이로 알맞은 것을 보기 에서 골라 괄호 안에 기호를 쓰세요.

(1) 가위질 (　　　)
(2) 다림질 (　　　)
(3) 바느질 (　　　)

보기
㉠ 다리미로 옷이나 천 따위를 다리는 일.
㉡ 바늘에 실을 꿰어 옷 따위를 짓거나 꿰매는 일.
㉢ 가위로 자르거나 오리는 일.

다지기 보기 에서 알맞은 낱말을 골라 아래의 빈칸을 채우세요.

보기
가위질　　다림질　　바느질

(1) 나는 오리는 데 능숙해서 □□□을 잘합니다.

(2) 해진 옷을 □□□하여 꿰매는 솜씨가 보통이 아닙니다.

(3) 물을 뿌린 뒤 □□□을 하면 구김이 잘 펴집니다.

넓히기 다음 한자어의 구성과 뜻을 알아보고, 빈칸에 알맞은 한자어를 쓰세요.

- **발견(發 필 발. 見 볼 견.)하다.** 미처 찾아내지 못하였거나 아직 알려지지 아니한 사물이나 현상, 사실 따위를 찾아내다.
- **소중(所 바 소. 重 무거울 중.)하다.** 매우 중요하다.

(1) 실험실에서 일찍이 누구도 본 적이 없는 물질을 □□하다.

(2) 나는 무엇보다 가족이 가장 □□하다.

시간 공부 날짜 □월 □일
푸는데 걸린 시간 □분

확인 맞은 개수 써보기

독해	□개/7개	어휘	□개/8개

7주 31회

해설편 16쪽

32

'오랫동안 자꾸 반복하여 몸에 익어 버린 행동.'을 '버릇'이라고 해요. 한자어 '습관'과 같은 뜻이에요. 또 '버릇'에는 '윗사람에 대하여 지켜야 할 예의'라는 뜻도 있어요. '저 녀석 어른한테 버릇없이 군다.'고 할 때의 그 버릇이에요.

1. 15점 2. 15점 3. 15점 4. 15점 5. 10점 6. 15점 7. 15점

습관은 무심코 같은 행동을 반복하는 것을 말해요. 습관은 처음 길들일 때는 거미줄처럼 약하지만, 그것이 반복되면 쇠사슬처럼 강해져요. 그래서 습관을 길들일 때는 조심해야 합니다. "세 살 적 버릇이 여든까지 간다."라는 속담이 있어요. 어릴 때 생긴 버릇은 나이가 들어서도 고치기 어렵다는 뜻이에요.

생텍쥐페리의 유명한 소설 「어린 왕자」에 '바오바브나무' 이야기가 나와요. 어린 왕자는 매일 아침 일어나 몸단장을 하고 장미를 돌본 다음 바오바브나무의 새싹을 뽑는 일을 했어요. 별의 땅속에는 온통 바오바브나무의 씨앗이 있었거든요. 싹이 자랄 때 괜찮겠거니 내버려 두었다가는 큰일이 날 수 있기 때문이었어요.

어느 별의 한 게으름뱅이는 바오바브나무를 새싹일 때 뽑지 않고 날마다 "내일 뽑아야지." 하면서 내버려 두었어요. 어느 날, 게으름뱅이가 정신을 차렸을 때는 바오바브나무가 너무 커 버려 도저히 뽑을 수가 없었어요. 별의 반대편까지 뿌리를 뻗쳐 별에 구멍을 내고 만 거예요. 자라기 전에 진작 뿌리를 뽑아냈어야 했는데……. 그런데도 게으름뱅이는 날마다 미루기만 했지요.

시간이 있을 때 차근차근히 할 수 있는데도 미루다 보면 어느새 마쳐야 할 시각이 닥쳐요. 그제야 허겁지겁 일을 하게 되지요. 오늘부터 "나중에! 나중에!"라는 말 대신 "지금! 지금!"이라는 말을 사용해 보세요.

또 '놀기만 하는 것', '늦게 일어나는 것', '남에게만 의지하는 것', '늘 얼굴을 찌푸리는 것' 등도 나쁜 습관이에요.

그렇다면 좋은 습관은 어떤 게 있을까요? '물건을 절약하는 것', '약속을 잘 지키는 것', '일찍 일어나는 것' 같은 거예요.

㉠평소에 꾸준히 운동하고 몸에 좋은 음식을 골고루 먹는 것도 좋은 습관이에

요. 병에 걸리는 것을 예방할 수 있으니까요. 병이 든 후에 치료하려면 시간도 돈도 많이 들어요.

우리는 좋은 습관과 나쁜 습관을 구별해야 해요. 그래서 유익하고 바람직한 습관은 자꾸 기르고 나쁜 습관은 버려야 해요. 어릴 적 몸에 밴 좋은 습관은 여러분의 삶에 귀중한 재산이 될 것입니다.

1 주제찾기

글의 주제를 간추린 아래 문장의 빈칸을 채우세요.

① ☐☐ 습관은 자꾸 기르고 ② ☐☐ 습관은 버려야 한다.

2 글감찾기

글의 중심 내용을 이루는 두 자로된 낱말을 찾아 쓰세요.

( )

3 사실이해

글에 나타나지 않은 내용을 어느 것인가요? ( )

① 습관의 뜻
② 습관을 비유한 말
③ 습관과 관련된 속담
④ 습관이 나빠서 별에서 생긴 일
⑤ 습관이 나쁜 사람들이 사는 나라

4 미루어알기

글쓴이가 주장을 뒷받침하기 위해 글에 끌어들인 것은 무엇인가요? ( )

① 미루는 습관 때문에 생긴 일
② 처음 길들일 때 습관의 특징
③ 반복되면서 고칠 수 없게 된 습관
④ 나이가 들어서 습관을 고칠 수 없는 사람
⑤ 운동을 해서 음식 조절에 성공한 사람의 예

7주 32회
해설편 16쪽

5
세부내용

㉠의 두 문장은 어떤 관계로 맺어져 있나요? ( )

① 주장+이유
② 이유+주장
③ 문제+풀이
④ 풀이+문제
⑤ 원인+결과

6
적용하기

글을 읽고 버릇을 고친 사례는 어느 것입니까? ( )

① 놀 때는 신나고 재미있게 논다.
② 좋은 음식은 혼자 남김없이 먹는다.
③ 오늘 할 일은 내일로 미루지 않는다.
④ 남을 돕는 일에 열심히 노력하리라 결심한다.
⑤ 어려운 일은 미루어두었다가 한꺼번에 해결한다.

7
요약하기

'좋은 습관', '나쁜 습관'을 표로 정리했습니다. 빈칸에 알맞은 낱말을 쓰세요.

좋은 습관	나쁜 습관
• 물건을 ① [ ][ ] 하는 것 • ② [ ][ ] 을 잘 지키는 것 • 일찍 일어나는 것 • 꾸준히 ③ [ ][ ] 하기 • 몸에 좋은 음식을 골고루 먹기	• 놀기만 하는 것 • 늦게 일어나는 것 • 남에게만 ④ [ ][ ] 하는 것 • 늘 얼굴을 찌푸리는 것

어휘학습

뜻 **낱말의 뜻풀이로 알맞은 것을 보기 에서 골라 괄호 안에 기호를 쓰세요.**

(1) 나쁘다 (   )
(2) 다르다 (   )
(3) 틀리다 (   )

보기
㉠ 셈이나 사실 따위가 그르게 되거나 어긋나다.
㉡ 좋지 아니하다. 옳지 아니하다.
㉢ 견주어 본 둘이 서로 같지 아니하다. 차이가 나다.

다지기 **보기 에서 알맞은 낱말을 골라 아래의 빈칸을 채우세요.**

보기
나쁘다 다르다 틀리다

(1) 호주의 시드니와 서울의 겨울 날씨는 ☐☐☐.

(2) 늦게 일어나는 버릇은 ☐☐☐.

(3) 풀기 쉬운 문제를 실수로 ☐☐☐.

넓히기 **다음 한자어의 구성과 뜻을 알아보고, 빈칸에 알맞은 한자어를 쓰세요.**

- **습관(習** 익힐 습. **慣** 익숙할 관.) 오랫동안 되풀이하여 저절로 익혀진 행동 방식.
- **속담(俗** 풍속 속. **談** 말씀 담.) 예로부터 전하여 오면서 깨달음이나 교훈을 주는 말씀.

(1) 세 살 적 버릇이 여든까지 간다는 ☐☐은 결코 헛말이 아니다.

(2) 어릴 적부터 이어져 온 못된 ☐☐을 바로잡아 주다.

공부 날짜 ☐ 월 ☐ 일
푸는데 걸린 시간 ☐ 분

맞은 개수 써보기

독해	개/7개	어휘	개/8개

7주 32회

해설편 16쪽

33

생각 열기

그림에서는 점, 선, 색채가 중요한 바탕입니다. 이들이 어울리면서 실물과 똑같이 그려지기도 하고 실물이 무엇인지 알 수 없도록 그려지기도 합니다. 어떤 경우이든 그림은 모양을 지니고 있습니다. 아래 그림에서 색채와 모양이 자아내는 특징이 무엇인지 떠올려보아요.

점수 계산 1. 15점 2. 15점 3. 15점 4. 10점 5. 15점 6. 15점 7. 15점

(가) 고흐, 「별이 빛나는 밤」

고흐, 「별이 빛나는 밤」

이 그림은 반짝반짝 빛나는 별과 잎이 많은 나무가 있는 밤의 모습을 보여 주고 있습니다. 이 풍경은 물감을 겹겹이 칠해서 무척 두꺼운 느낌이 나게 그렸습니다. 그래서 그림 안에 있는 붓 자국을 모두 볼 수 있습니다. 이 그림을 그린 빈센트 반 고흐는 강한 원색을 즐겨 사용하였고, 가끔 물감을 직접 짜서 바르기도 하였습니다. 이런 강렬한 색과 소용돌이치는 듯한 붓질 표현은 마치 그림이 살아 있는 것 같은 생생한 느낌을 줍니다. 빈센트 반 고흐는 겹겹이 두껍게 물감을 칠해서 소용돌이와 굽이치는 풍경을 표현하였습니다.

(나) 칸딘스키, 「동심원이 있는 정사각형」

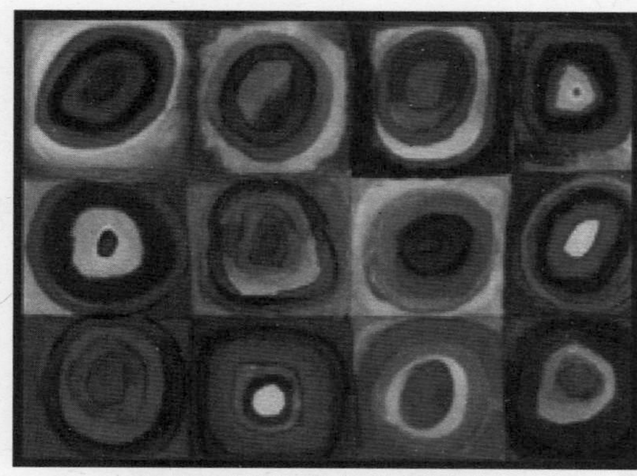
칸딘스키, 「동심원이 있는 정사각형」

이 화려한 색상의 그림은 러시아 미술가 바실리 칸딘스키가 서로 다른 색을 나란히 놓았을 때 드러나는 효과를 살펴보기 위하여 그렸습니다. 그는 어떤 색이 더욱 두드러지고, 어떤 색이 서로 섞이는지 알고 싶었습니다. 그리고 사람의 관심과 시선을 잡아끄는 선명한 모양을 만들기 위해 서로 다른 색을 어떻게 사용할지 궁리하였습니다. 칸딘스키는 서로 반대되는 색으로 원을 그려서 시선을 집중시켰습니다.

1
주제찾기

(가), (나)가 공통적으로 초점을 맞춘 내용은 무엇입니까? ( )

① 그림의 구성 요소
② 풍경을 그리는 방법
③ 붓질이 자아내는 효과
④ 그림을 그리는 독특한 방식
⑤ 밝은 느낌의 색상 사용

2
글감찾기

(가), (나)의 글감이 무엇인지 보기 의 말을 선택하여 밝히세요.

보기
풍경 색채 명화

☐☐ 감상

3
사실이해

(가)에서 소개한 그림의 특징을 결정하는 것은 무엇이라고 했습니까? ( )

① 별, 잎
② 나무, 밤
③ 붓, 화가
④ 풍경, 물감
⑤ 색채, 붓질

4
미루어알기

글 앞에 그림을 왜 놓았을까요? ( )

① 글을 쉽게 이해할 수 있기 때문에
② 글을 집중해서 읽을 수 있기 때문에
③ 글의 내용이 대해 비판할 수 있기 때문에
④ 글의 내용을 친구에게 전해줄 수 있기 때문에
⑤ 글에 나타난 의견과 다른 의견을 가질 수 있기 때문에

5
세부내용

칸딘스키가 관심을 가지고 표현하고자 한 것은 무엇입니까? ( )

① 색
② 점
③ 선
④ 모양
⑤ 움직임

6 적용하기

글 (나)의 내용을 아래와 같이 정리했습니다. 칸딘스키의 그림을 그리는 순서를 기호로 쓰세요.

(가) 도화지를 접어서 12개의 사각형을 만듭니다.
(나) 사각형마다 서로 다른 색으로 수채화 물감을 칠합니다.
(다) 크레파스로 각각의 사각형 안에 동심원을 그립니다.

( )

7 요약하기

(가)를 읽고 아크릴 물감을 써서 소용돌이치는 모습을 표현하려고 합니다. 2~5에 놓일 내용을 보기 에서 찾아 그 기호를 차례대로 쓰세요.

보기

(가) 팔레트에 아크릴 물감을 짜 놓습니다. 짜 놓은 각각의 물감에 액체 풀을 몇 방울 떨어뜨려 섞습니다.
(나) 그림에 소용돌이 자국을 내기 위하여 플라스틱포크로 구름과 하늘의 곡선 주변을 긁습니다.
(다) 구름 낀 하늘은 파란색과 흰색의 소용돌이로 표현합니다. 스케치한 선을 덮어 칠해도 괜찮습니다.

1. 두꺼운 종이 위에 경사가 급하지 않은 언덕, 잎이 많은 나무들과 소용돌이치고 있는 구름이 가득한 하늘을 스케치합니다.
2. ( )
3. ( )
4. ( )
5. 언덕과 나무는 갈색, 녹색, 노란색으로 칠합니다. 포크로 문지르고 언덕을 따라 물결 모양으로 긁습니다.
6. 마지막으로 붓대 끝을 사용하여 나뭇잎 부분을 중심 방향으로 둥글게 말아 감아 긁습니다.

어휘학습

뜻 낱말의 뜻풀이로 알맞은 것을 보기 에서 골라 괄호 안에 기호를 쓰세요.

(1) 두껍다 (　　　)

(2) 두텁다 (　　　)

보기
㉠ 의리, 믿음, 관계, 인정 따위가 굳고 깊다.
㉡ 두께가 보통의 정도보다 크다. 층을 이루는 사물의 높이나 집단의 크기가 보통의 정도보다 크다.

다지기 보기 에서 알맞은 낱말을 골라 아래의 빈칸을 채우세요.

보기
두껍다　　두텁다

(1) 이 사과는 껍질이 너무 □□□.

(2) 우리나라 부모들은 유난히 자식에 대한 믿음이 □□□.

(3) 그 집안은 여덟이나 되는 형제자매가 모두 우애가 □□□.

넓히기 다음 한자어의 구성과 뜻을 알아보고, 빈칸에 알맞은 한자어를 쓰세요.

- **풍경(風** 바람 풍. **景** 볕 경.) 산이나 들, 강, 바다 따위의 자연이나 지역의 모습.
- **색상(色** 빛 색. **相** 서로 상.) 색 자체가 원래부터 가지고 있는 특성. 색을 빨강, 노랑, 파랑 따위로 구분하게 하는 특성.

(1) 이 그림은 여러 가지 □□을 사용하여 화려한 느낌을 준다.

(2) 겸재 정선은 우리나라의 □□을 실감 나게 그린 유명한 화가이다.

시간
공부 날짜 □월 □일
푸는데 걸린 시간 □분

확인
맞은 개수 써보기

독해	□개/7개	어휘	□개/7개

7주 33회

해설편 17쪽

34

이 글 앞에 생략된 줄거리입니다. 소년은 어릴 적부터 나무와 함께 놀았고, 나무는 행복했습니다. 소년은 나이가 들어 나무에게 돈이 필요하다고 하였고, 나무는 소년에게 사과를 줄 수 있어 행복했습니다. 그런데 한동안 떠났던 소년이 돌아오지 않았고, 나무는 슬펐습니다.

1.  15점 2.  15점 3.  10점 4.  15점 5.  15점 6.  15점 7. 15점

그러던 어느 날 소년이 돌아왔습니다. 나무는 몹시 기뻐서 몸을 흔들며 말하였습니다.

"얘야, 내 줄기를 타고 올라오렴. 가지에 매달려 그네도 뛰고 즐겁게 지내자."

"난 나무에 올라갈 만큼 한가롭지 않단 말이야." / 소년이 말하였습니다.

"내겐 따뜻하게 지낼 집이 필요해. 아내도 있어야 하고, 자식도 있어야겠고. 그래서 집이 필요하단 말이야. 나에게 집 한 채 마련해 줄 수 없겠어?"

"나에게는 집이 없단다." / 나무가 대답하였습니다.

"이 숲이 나의 집이지. ㉠하지만 내 가지들을 베어다가 집을 짓지 그래. 그러면 행복해질 수 있을 거야."

그러자 소년은 나뭇가지를 베어서는 집을 지으려고 가지고 갔습니다. 그래서 나무는 행복하였습니다.

그러나 떠나간 소년은 오랜 세월이 지나도록 돌아오지 않았습니다. 그러다가 소년이 돌아오자, 나무는 매우 기뻐서 거의 말을 할 수가 없었습니다.

"이리 온, 얘야." / 나무는 속삭였습니다.

"와서 나랑 놀자." / "난 너무 나이가 들어서 놀 수가 없어." / 소년이 말하였습니다.

"배가 한 척 있었으면 좋겠어. 멀리 떠나고 싶거든. 내게 배 한 척 마련해 줄 수 없겠어?" / "내 줄기를 베어다가 배를 만들렴." / 나무가 말하였습니다.

"그러면 너는 멀리 떠나갈 수 있고 행복해질 수 있을 거야."

그러자 소년은 나무의 줄기를 베어 내서 배를 만들어 타고 멀리 떠나 버렸습니다. 소년을 도울 수 있었던 나무는 행복하였지만 (㉡   ) 정말 그런 것은 아니었습니다.

오랜 세월이 지난 뒤에 소년이 다시 돌아왔습니다.

"얘야, 미안하다. 이제는 너에게 줄 것이 아무것도 없구나. 사과도 없고."

"난 이가 나빠서 사과를 먹을 수가 없어." / 소년이 말하였습니다.

"내게는 이제 가지도 없으니 네가 그네도 뛸 수도 없고."

"나뭇가지에 매달려 그네를 뛰기에는 난 이제 너무 늙었어."
소년이 말하였습니다. / "내게는 줄기마저 없으니 네가 타고 오를 수도 없고."
"타고 오를 기운도 없어." / 소년이 말하였습니다. / "미안해."
나무는 한숨을 지었습니다.
"무언가 너에게 주고 싶은데……. 내겐 남은 것이 아무것도 없단다. 나는 그저 늙어버린 나무 밑동일 뿐이야. 미안해."
"이젠 나도 필요한 게 별로 없어. 그저 편안히 앉아서 쉴 곳이나 있었으면 좋겠어. 몹시 피곤하거든." / 소년이 말하였습니다.
"아, 그래?" / 나무는 안간힘을 다하여 몸뚱이를 펴면서 말하였습니다.
"자, 앉아서 쉬기에는 늙은 나무 밑동이 그만이야. 얘야, 이리 와서 앉으렴. 앉아서 쉬도록 해."
소년은 그렇게 하였습니다. / 그래서 나무는 행복하였습니다.

1 주제찾기

이야기를 통해 전하려고 한 중심 내용은 무엇인가요? ( )

① 떠나기만 하는 소년
② 세월 따라 늙어가는 나무
③ 이익만 챙기는 소년의 욕심
④ 시간이 지나도 변함없는 나무
⑤ 대가 없이 베푸는 사랑의 아름다움

2 제목찾기

빈칸을 채워 이야기에 알맞은 제목을 붙여 보세요.

아낌없이 주는 ☐☐

3 사실이해

㉠을 말한 나무의 성격으로 볼 수 있는 것을 고르세요. ( )

① 인색하다.
② 헌신적이다.
③ 이기적이다.
④ 사근사근하다.
⑤ 우유부단하다.

4
미루어알기

ⓛ에 들어갈 말로 가장 알맞은 것은 무엇입니까? ( )

① 소년이 떠나버려서
② 줄기를 베어 내었기 때문에
③ 소년이 간 곳을 알 수 없어서
④ 나무에게 남은 것이 전혀 없어서
⑤ 소년이 배를 만들었기 때문에

5
세부내용

이야기를 읽으면서 '나무'와 함께 가지게 된 마음을 모두 찾아 동그라미하세요.

사랑, 부끄러움, 행복, 슬픔, 미움, 즐거움, 고마움, 기쁨, 두려움

6
적용하기

이야기의 짜임새를 아래와 같이 정리할 때, 빈칸에 알맞은 낱말을 쓰세요.

'주다 → ① □□ → 떠나다 → ② □□□□.'가 이야기 전체에서 ③ □□되고 있다.

7
요약하기

소년이 바란 것과 나무가 준 것을 중심으로 줄거리를 요약했습니다. 빈칸을 채우세요.

소년이 바란 것	나무가 준 것
집	① □□
배	② □□
쉴 곳	③ □□

어휘학습

뜻 낱말의 뜻풀이로 알맞은 것을 보기 에서 골라 괄호 안에 기호를 쓰세요.

(1) 줄기 (   )
(2) 가지 (   )
(3) 밑동 (   )

보기
㉠ 나무줄기에서 뿌리에 가까운 부분.
㉡ 식물체를 받치고 뿌리로부터 흡수한 수분이나 양분을 각 부에 나르는 역할을 하는 기관.
㉢ 나무나 풀의 원줄기에서 뻗어 나온 작은 줄기.

다지기 보기 에서 알맞은 낱말을 골라 아래의 빈칸을 채우세요.

보기
줄기 가지 밑동

(1) 고구마 ☐☐에 고구마가 달려 있었다.
(2) 눈앞을 가린다고 하여 나무의 ☐☐만 남기고 모조리 잘랐다.
(3) 봄철 벚나무의 ☐☐엔 팝콘 같은 꽃이 주렁주렁 달린다.

넓히기 다음 한자어의 구성과 뜻을 알아보고, 빈칸에 알맞은 한자어를 쓰세요.

- **소년(少** 적을 소. **年** 해 년.) 아직 완전히 성숙하지 아니한 어린 사내아이.
- **세월(歲** 해 세. **月** 달 월.) 흘러가는 시간.

(1) 작은 ☐☐이 자라 늠름한 청년이 되었다.
(2) 그 할아버지는 ☐☐이 덧없이 흘러간다는 말을 자주 하셨다.

시간 **공부 날짜** ☐ 월 ☐ 일
푸는데 걸린 시간 ☐ 분

확인 **맞은 개수 써보기**

독해	☐ 개/7개	어휘	☐ 개/8개

35

시에 내가 겪은 일과 비슷한 장면이 펼쳐진다면 어떻게 해야 할까요? 자신이 겪은 일과 견주어 보고, 그때의 느낌과 생각도 떠올리면서 시의 내용을 새겨야 할 거예요. 그런 다음에 시에서 어떤 뜻을 중심 내용으로 전하려고 하였는지 정리해봐요.

1. 15점 2. 10점 3. 15점 4. 15점 5. 15점 6. 15점 7. 15점

우린 목욕탕에 다 가도록 싸웠어.
윗도리를 벗고, 바지를 내릴 때까지도.
형은 내 참외 배꼽을 보고 웃고
난 형 오리 궁둥이 보고 콧방귀 뀌고.

㉠ 우린 등을 돌렸어.
몸을 닦다가도 눈을 흘기고.
그릇도 탕탕 내려놓고.

우린 엉덩이를 쳐들고 머리를 감았어.
형과 내 엉덩이가 닿았을 땐
샴푸 거품도 톡톡 터졌지.
때를 밀다가 형 다리가 내 몸에 닿았을 땐
찌릿, 전기까지 통했다니까.

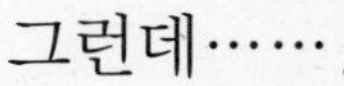
그런데…….

형이 말없이 내 등을 밀어 주는 거야.
나도 형 등을 밀어 주었지.

㉡ 집에 갈 땐 어깨동무를 했어
바람도 긴 팔로 우리 목을 감았지.

1
주제찾기

시의 내용을 잘 정리한 것을 고르세요. ( )

① 목욕탕 가서 싸우기
② 목욕탕에서 서로 비웃기
③ 목욕탕 가서 몸 닦아주기
④ 목욕탕 가서 서로 등 밀어주기
⑤ 목욕탕 갔다가 집으로 돌아오기

2
제목찾기

빈칸을 채워 시에 제목을 붙이세요.

형과 [ ][ ][ ] 다녀오기

3
사실이해

시에서 말하는 사람(화자)에 대한 설명으로 바르지 않은 것은 어느 것입니까? ( )

① '나'이다.
② 동생이다.
③ 목욕을 했다.
④ 너그러운 성품이다.
⑤ 목욕탕에 가며 형과 다투었다.

4
미루어알기

㉠의 이유로 알맞은 것은 무엇입니까? ( )

① 싸웠기 때문에
② 눈이 아팠기 때문에
③ 등을 밀어야 했기 때문에
④ 형의 엉덩이가 닿았기 때문에
⑤ 샴푸를 혼자 써야 했기 때문에

5
세부내용

㉡은 무엇을 나타내는 것일까요? ( )

① 시원한 거리
② 깨끗해진 몸
③ 개운해진 기분
④ 둘의 완전한 화해
⑤ 굳건해진 어깨동무

6
적용하기

시의 내용 흐름이 어떤 특징을 보여줍니까? ( )

① 한 곳에 머물러 장면을 그리고 있다.
② 일이 있었던 순서대로 펼쳐지고 있다.
③ 장소를 이동하며 한 장면을 그리고 있다.
④ 여러 곳에서 일어났던 일을 겹쳐 말하고 있다.
⑤ 오랜 시간 동안 일어났던 일을 간단히 펼쳐 보인다.

7
요약하기

시의 전체 내용을 정리했습니다. 빈칸에 들어갈 낱말을 보기 에서 골라 쓰세요.

보기
맞섬 다툼 증오 화해

형제의 ① [ ][ ] → 형제의 ② [ ][ ]

어휘학습

뜻

낱말의 뜻풀이로 알맞은 것을 보기 에서 골라 괄호 안에 기호를 쓰세요.

(1) 윗도리 (　　　)
(2) 궁둥이 (　　　)
(3) 엉덩이 (　　　)

보기
㉠ 볼기의 윗부분과 아랫부분을 통틀어 이르는 말.
㉡ 위에 입는 옷. [반대말] 아랫도리.
㉢ 볼기의 아랫부분. 앉으면 바닥에 닿는, 근육이 많은 부분.

다지기

보기 에서 알맞은 낱말을 골라 아래의 빈칸을 채우세요.

보기
윗도리　　궁둥이　　엉덩이

(1) 몸집이 큰 어른이 [　][　][　]만 대고 의자에 앉았다.
(2) 어찌나 놀랐던지 [　][　][　]만 걸치고 밖으로 뛰쳐나왔다.
(3) 어린아이가 [　][　][　]에 주사를 맞고 병원이 떠나가게 울었다.

넓히기

다음 한자어의 구성과 뜻을 알아보고, 빈칸에 알맞은 한자어를 쓰세요.

- **목욕(沐** 머리감을 목. **浴** 몸을 씻을 욕.**)** 머리를 감으며 온몸을 씻는 일.
- **전기(電** 번개 전. **氣** 기운 기.**)** 힘이 움직이는 기운. 저리거나 무엇에 부딪혔을 때 몸에 짜릿하게 오는 느낌을 비유적으로 이르는 말.

(1) 짝이 자신의 손을 잡아줄 때 [　][　]가 찌릿 통했다고 말했다.
(2) 운동을 하고 피곤했는데 [　][　]을 하고 나니 기분이 상쾌해졌다.

시간
공부 날짜 [　]월 [　]일
푸는데 걸린 시간 [　]분

확인
맞은 개수 써보기

독해	[　]개/7개	어휘	[　]개/8개

7주 35회

해설편 18쪽

어휘·어법 총정리 7주차

어휘 **보기** 의 낱말을 보고, 뜻과 어울리는 것을 골라 아래의 빈칸에 써보세요.

보기	무심코	진작	뻗치다	허겁지겁	소중하다	원색	소용돌이	선명하다

1. 조급한 마음으로 몹시 허둥거리는 모양. [ ]
2. 아무런 뜻이나 생각이 없이. 그저. [ ]
3. 가지나 덩굴, 뿌리 따위가 길게 자라나다. [ ]
4. 좀 더 일찍이. 뉘우침이나 원망의 뜻을 나타내는 문장에 쓴다. [ ]
5. 눈부시게 하는 빛깔. 본디의 제 빛깔. [ ]
6. 산뜻하고 뚜렷하여 다른 것과 혼동되지 아니하다. [ ]
7. 바닥이 팬 자리에서 물이 빙빙 돌면서 흐르는 현상. 또는 그런 곳. [ ]
8. 매우 귀하고 중요하다. [ ]

어법 다음 중 맞춤법에 맞는 것을 골라 동그라미 하세요.

1. 얼굴을 [찢푸렸다 / 찌푸렸다].
2. 바느질을 [꼼꼼히 / 꼼꼼이] 했다.
3. 늙어버린 나무 [밑동 / 밑둥].
4. 물감을 [바르다 / 발르다].
5. [궁니 / 궁리] 끝에 결정했다.
6. 잘난 [체 / 채]하며 싸웠다.
7. 집 [한 채 / 한 체]를 지었다.
8. 잘 [개켜 / 게어] 놓아라.

확인 나의 점수 확인하기

어휘	개 / 8개	어법	개 / 10개

8주차

회차 / 영역	제목	계획 및 점검
36 인문|논설문	검정소와 누렁소 • 나는 [ ]월 [ ]일 [ ]시에 공부할 것입니다.	• 독해력에서 나의 점수는 [ ]점입니다. • 어휘력에서 맞은 문제수는 [ ]개 / 6개 입니다. • 어려웠던 문제는 ______ 번입니다.
37 사회|설명문	빵이 빵 터질까? • 나는 [ ]월 [ ]일 [ ]시에 공부할 것입니다.	• 독해력에서 나의 점수는 [ ]점입니다. • 어휘력에서 맞은 문제수는 [ ]개 / 8개 입니다. • 어려웠던 문제는 ______ 번입니다.
38 과학|설명문	나무 • 나는 [ ]월 [ ]일 [ ]시에 공부할 것입니다.	• 독해력에서 나의 점수는 [ ]점입니다. • 어휘력에서 맞은 문제수는 [ ]개 / 8개 입니다. • 어려웠던 문제는 ______ 번입니다.
39 산문문학|전기	나비박사 석주명 • 나는 [ ]월 [ ]일 [ ]시에 공부할 것입니다.	• 독해력에서 나의 점수는 [ ]점입니다. • 어휘력에서 맞은 문제수는 [ ]개 / 8개 입니다. • 어려웠던 문제는 ______ 번입니다.
40 운문문학|시	산 샘물 • 나는 [ ]월 [ ]일 [ ]시에 공부할 것입니다.	• 독해력에서 나의 점수는 [ ]점입니다. • 어휘력에서 맞은 문제수는 [ ]개 / 6개 입니다. • 어려웠던 문제는 ______ 번입니다.

• 이번 주 독해력 문제에서 나의 점수는 평균 [ ]점입니다.

• 이번 주 어휘력에서 맞은 문제수는 모두 [ ]개입니다.

36

학생들의 행동을 바로잡거나 칭찬할 때 하는 말, 가르침을 담은 이야기가 훈화입니다. 훈화에는 우리가 아름다운 마음을 가지고 바르게 행동하기를 바라는 웃어른의 마음이 담겨 있습니다.

1. 15점 2. 15점 3. 15점 4. 15점 5. 10점 6. 15점 7. 15점

오늘은 여러분에게 「검정소와 누렁소」라는 이야기를 들려주겠습니다. 이 이야기는 '남의 단점을 함부로 말하지 말자.'라는 교훈을 알려 주는 이야기입니다. 왜 남의 단점을 함부로 말해서는 안 되는지 그 까닭을 잘 생각하며 이야기를 들어보기를 바랍니다.

한 젊은 선비가 농사일이 한창인 들판을 지나가고 있었습니다. 때마침 들에서 풀을 뜯고 있던 검정소와 누렁소를 보고, 옆에서 쉬고 있던 나이 많은 농부에게 저 두 마리 소 가운데에서 어느 소가 더 나은지 물었습니다. 그러자 농부는 선비가 있는 곳까지 걸어와서 목소리를 낮추어 선비의 귀에 입을 대고 소곤거리며, "힘이 세기로는 검정소가 더 낫지만 일 잘하기로는 누렁소가 더 낫지요."라고 하였습니다.

선비는, 농부가 그 말을 귀에 대고 낮은 목소리로 말하는 것이 이상하였습니다. 그래서 선비는 농부에게 별것도 아닌 말을 왜 귀에다 대고 이렇게 조심스럽게 말하느냐고 물었습니다. 농부는 아무리 말 못 하는 짐승이지만 자기가 남보다 못하다고 말하는데 좋아할 리가 있겠느냐고 선비에게 되물었습니다. 이 말을 듣고 난 선비는 큰 깨달음을 얻고 농부가 전해 준 ㉠'<u>남의 단점을 함부로 말하지 말자.</u>'라는 교훈을 평생 가슴에 새기며 살아갔다고 합니다.

짐승 앞에서도 함부로 말하지 않는 농부의 모습을 본받기를 바라며 선생님은 여러분에게 다음의 두 가지를 꼭 실천하여 주기를 부탁합니다.

첫째, 남의 단점을 쉽게 말하지 말아야 합니다. 우리 주위를 보면 남의 단점을 (㉡) 함부로 말하는 사람이 있습니다. 무엇이 좋지 않고 무엇이 옳지 않다고 말합니다. 그런 사람을 보면 여러분은 어떤 생각이 드나요? 아마 좋은 사람이라는 생각이 들지 않을 것입니다. 남의 단점을 쉽게 말하는 사람은 반대로 다른 사람에게서 좋지 않은 말을 들을 수밖에 없습니다.

둘째, 상대방의 장점을 찾아 칭찬하는 말을 자주 해 줍시다. 누구에게나 단점도 있지만 장점도 있습니다. 그 장점을 잘 찾아서 칭찬을 해 주면, 상대방은 자신의 장점을 더 발전시키려고 할 것입니다. 그리고 칭찬해 준 사람에게 고마운 마음을 가지게 될 것입니다. 또, 서로를 존중하면서 사이가 더욱 좋아질 것입니다.

선생님은 여러분이 오늘 이야기를 교훈으로 삼아 앞으로는 남의 단점을 함부로 말하지 말고 다른 사람의 장점을 찾아 칭찬하는 말을 자주 하며 생활하기를 바랍니다.

1 주제찾기

선생님이 실천하기를 바란 것은 무엇입니까? ( )

① 남의 칭찬을 자주 하자.
② 남의 단점을 숨기지 말자.
③ 나의 자랑을 함부로 하지 말자.
④ 나의 단점을 숨기지 말고 고백하자.
⑤ 짐승 앞에서도 함부로 말하지 말자.

2 제목찾기

선생님이 들려준 이야기의 제목을 글에서 찾아 쓰세요.

( )

3 사실이해

이야기 속의 '농부'는 어떤 인물입니까? ( )

① 조심성이 많다.
② 선비와 친한 편이다
③ 외딴곳에 숨어서 산다.
④ 사람보다 짐승을 벗하고 산다.
⑤ 짐승 말을 알아들을 만큼 아는 것이 많다.

8주 36회

해설편 18쪽

4

미루어알기

㉠의 까닭으로 알맞은 것은 어느 것입니까? ( )

① 칭찬하는 사람을 이길 수 없으므로
② 짐승도 싫어하는 말은 알아듣기 때문에
③ 선비는 농부보다 단점의 말을 쉽게 알아들으므로
④ 자기가 남보다 못하다고 말하는데 좋아할 리가 없으므로
⑤ 농부는 남의 단점을 말하다가 큰 피해를 입은 적이 있으므로

5

세부내용

㉡에 들어갈 알맞은 낱말은 무엇입니까? ( )

① 부추겨서
② 들추어서
③ 내밀어서
④ 가두어서
⑤ 처리해서

6

적용하기

글에 나타난 훈화를 가장 잘 새겨들은 사람의 말을 고르세요. ( )

① 농부도 선비를 가르칠 수 있다.
② 짐승도 말귀를 알아들을 수 있다.
③ 다른 사람의 장점은 말하지 말아야겠다.
④ 장점만 말하는 사람이 고마운 사람이다.
⑤ 서로 칭찬해주다 보면 사이가 더 좋아질 수 있다.

7

요약하기

선생님의 부탁을 정리했습니다. 빈칸에 들어갈 낱말을 쓰세요.

앞으로는 남의 ① ☐☐을 함부로 말하지 말고, 다른 사람의 ② ☐☐을 찾아 ③ ☐☐하는 말을 자주 하며 생활합시다.

어휘학습

뜻 **낱말의 뜻풀이로 알맞은 것을 보기 에서 골라 괄호 안에 기호를 쓰세요.**

(1) 깨달음 ( )

(2) 본받기 ( )

보기
㉠ '본받다(본보기로 하여 그대로 따라 하다.)'의 줄기말인 '본받'에 '기'를 붙여 만든 말.
㉡ '깨닫다(생각하고 궁리하여 알게 되다.)'의 줄기말인 '깨달'에 '음'을 붙여 만든 말.

다지기 **빈칸에 알맞은 낱말을 보기 에서 골라 쓰세요.**

보기
깨달음 본받기

(1) 훌륭한 사람의 말과 행동을 □□□만 해도 칭찬을 받을 만하다.

(2) 선생님의 말씀에서 □□□을 얻어 이를 실천하려고 노력하다.

넓히기 **다음 한자어의 구성과 뜻을 알아보고, 빈칸에 알맞은 한자어를 쓰세요.**

- **장점(長** 길 장. **點** 점 점.**)** 좋거나 잘하거나 긍정적인 점.
- **단점(短** 짧을 단. **點** 점 점. **)** 잘못되고 모자라는 점
- **칭찬(稱** 일컬을 칭. **讚** 기릴 찬.**)** 좋은 점이나 착하고 훌륭한 일을 높이 평가함. 또는 그런 말.

(1) 남보다 앞서서 어려운 일을 해내는 것은 내 □□이라 할 수 있다.

(2) 남과 잘 어울리려면 남의 □□을 말하기보다 남의 장점을 □□하는 편이 좋다.

시간 공부 날짜 □월 □일
푸는데 걸린 시간 □분

확인 맞은 개수 써보기

독해	개/7개	어휘	개/6개

8주 36회

해설편 18쪽

37

빵을 만들 때는 '효모'가 꼭 필요해요. 효모는 곰팡이, 버섯과 같이 균류에 속하는 미생물이에요. 효모를 넣어야 반죽이 부풀어 오르면서 독특한 향기와 맛이 나지요. 이게 '발효'라고 하는 중요한 과정이에요.

1. 15점 2. 10점 3. 15점 4. 15점 5. 15점 6. 15점 7. 15점

우리가 즐겨 먹는 빵은 언제부터 만들어졌을까? 빵은 사천 년 전쯤에 처음으로 만들어졌대. 어느 날, 이집트의 한 아주머니가 밀가루 반죽을 따뜻한 곳에 두고 깜빡 잊었지 뭐야. / 그런데 시간이 지나 그 반죽을 구웠더니 깜짝 놀랄 만한 일이 벌어졌어.

지금까지 본 적이 없는 빵빵하게 부푼 빵이 만들어진 거야.

마법인지 아닌지 궁금하지? / 그럼 한 번 만들어보지 뭐.

빵은 밀가루, 소금, 효모, 물로 만들어.

거기에다 설탕, 달걀, 우유, 버터, 과일, 크림…….

넣고 싶은 것 더 넣고 다양한 빵을 만들기도 하지.

밀가루를 곱게 체에 쳐서 다른 재료와 섞은 뒤 물을 조금씩 부으며 반죽을 해.

반죽은 하면 할수록 말랑말랑, 쫀득쫀득. / 손에도 안 묻고 반들반들 윤이 나지.

반죽을 쭉 잡아당겨 봐. / 얇게 늘어나면 글루텐[1]이 만들어진 거야.

글루텐은 밀가루 반죽이 풍선껌처럼 쫀득쫀득 늘어나게 해.

나중에 빵이 부풀게도 해 주지.

반죽은 따뜻하고 습기가 많은 곳에 두어야 해.

그래야 반죽에 있는 효모가 움직이기 시작하거든.

효모는 살아 있는 미생물[2]이야. 차가우면 활동을 못 하고, 너무 뜨거우면 죽어버리지. / 효모는 반죽에 있는 영양분을 먹고 숨을 쉬어.

그때 나오는 가스가 반죽 안에 가득 차면서 반죽이 조금씩 부풀어 올라.

빵의 독특한 향기와 맛도 생기지.

효모 같은 미생물은 활동하면서 여러 가지 물질을 만들어.

빵 반죽처럼 우리 몸에 좋은 것 만드는 것을 '발효'라고 해.

해로운 것을 만드는 것을 '썩는다'고 하지.

김치, 된장, 요구르트, 치즈, 식초, 술……. / 모두 다 발효 음식이야.
효모는 공기 중에도 있고, 사과, 포도 같은 과일에도 달라붙어 있어.
반죽이 다 발효되었다면 조몰락조몰락 갖가지 모양을 만들어 봐.
익히지 않은 반죽은 맛과 향기가 별로야.
하지만 뜨거운 열을 받으면 모든 게 변하지.
자, 이제 뜨거운 열을 받고 빵이 점점 부풀어.
빵빵하게 부풀어도 터지지 않아. / 점점 익어 가며 모양을 잡지.
으음, 먹음직스러운 황금빛 갈색.
솔솔솔 고소하고 맛있는 냄새. / 꿀꺽, 저절로 침이 고이지?
노릇노릇 부드러운 빵. / 맛도 영양도 좋아.
빵빵한 빵, 맛있는 빵. / 자연이 준 선물이야.
재미있는 빵, 소중한 빵. / 따뜻한 정성이 가득하지.
우리 모두 빵 먹을 땐 하나, 둘, 셋.

❶ 글루텐 식물의 종자 속에 들어 있는 식물성 단백질의 혼합물. 당과 지질을 함유하고 있다. ❷ 미생물 눈으로는 볼 수 없는 아주 작은 생물. 보통 세균, 효모, 원생동물 따위를 이르는데, 바이러스를 포함하는 경우도 있다.

1 주제찾기

글의 중심 내용은 무엇입니까? ( )

① 빵의 종류
② 빵이 처음 만들어진 때
③ 빵의 재료
④ 빵의 반죽 만들기
⑤ 빵을 만드는 과정

2 글감찾기

무엇을 글감으로 삼았는지 글에서 낱말을 찾아 쓰세요.

( )

3 사실이해

빵을 만들 때 꼭 필요한 재료 네 가지를 글에서 찾아 모두 쓰세요.

( )

해설편 19쪽

4
미루어알기

'효모'에 대한 이해로 바르지 않은 것은 어느 것인가요? ( )

① '발효'를 돕는다.
② 살아 있는 미생물이다.
③ 따뜻하고 습한 곳에서 잘 산다.
④ 반죽이 부풀어 오르도록 한다.
⑤ 공기 중이나 과일에는 없다.

5
세부내용

다음 중, 발효 음식에 속하지 않는 것은 어느 것입니까? ( )

① 김치
② 된장
③ 우유
④ 식초
⑤ 치즈

6
적용하기

글에서 쉬운 설명을 위해 사용한 방법이 아닌 것을 고르세요. ( )

① 예를 늘어놓기
② 이야기로 꾸미기
③ 같은 종류끼리 묶어놓기
④ 사진, 그림으로 도움 주기
⑤ 만드는 순서에 따라 글을 펼쳐놓기

7
요약하기

빵을 만드는 과정을 정리했습니다. 빈칸에 알맞은 말을 넣으세요.

재료 준비하기 → ① ☐☐하기 → 반죽을 ② ☐☐시키기
→ 반죽으로 모양 만들기 → ③ ☐☐

어휘학습

뜻 낱말의 뜻풀이로 알맞은 것을 보기에서 골라 괄호 안에 기호를 쓰세요.

(1) 말랑말랑 (　　　)
(2) 쫀득쫀득 (　　　)
(3) 반들반들 (　　　)

보기
㉠ 거죽이 아주 매끄럽고 윤이 나는 모양.
㉡ 여기저기가 야들야들하게 보드랍고 무른 느낌.
㉢ 음식물 따위가 검질겨서 매우 끈기 있고 쫄깃쫄깃하게 씹히는 느낌.

다지기 보기에서 알맞은 낱말을 골라 아래의 빈칸을 채우세요.

보기
말랑말랑　쫀득쫀득　반들반들

(1) 갈아놓은 밭에 비가 와서 땅이 □□□□하고 무른 느낌을 준다.
(2) 걸레를 몇 번씩이나 마룻바닥을 훔쳤더니 □□□□ 빛이 난다.
(3) 갓 만든 인절미를 먹으니 □□□□ 씹는 맛이 아주 좋다.

넓히기 다음 한자어의 구성과 뜻을 알아보고, 빈칸에 알맞은 한자어를 쓰세요.

- **미생물(微** 작을 미. **生** 살 생. **物** 물건 물.) 눈으로는 볼 수 없는 아주 작은 생물. 보통 세균, 효모, 원생동물 따위를 이르는데, 바이러스를 포함하는 경우도 있다.
- **영양분(營** 지을 영. 꾀할 영. **養** 기를 양. **分** 나눌 분.) 생물이 소화, 흡수, 순환, 호흡, 배설을 하는 과정에 필요한 여러 성분.

(1) 식물은 살아가기 위해 꼭 필요한 □□□을 줄기를 통해 날라요.
(2) 더러워진 물에 □□□이 살면 물이 맑아지기도 해요.

시간 공부 날짜 　월 　일
푸는데 걸린 시간 　분

확인 맞은 개수 써보기

독해	개/7개	어휘	개/8개

8주 37회

해설편 19쪽

38

우리나라 사람들에게 유달리 사랑을 받아온 사시사철 잎이 푸른 소나무, 줄기가 곧게 자라는 대나무, 눈이 날리는 늦겨울에 꽃이 피어 봄을 부르는 매화나무는 우리 조상의 시와 그림에서 자주 볼 수 있습니다. 다음 글에서 나무의 특성과 여러 가지 쓰임새와 모습을 함께 알아봐요.

1. 15점 2. 10점 3. 15점 4. 15점 5. 15점 6. 15점 7. 15점

우리 생활 주변에는 나무로 만든 물건이 많이 있습니다. 가구나 살림 도구, 장난감 같은 것입니다. 종이도 나무로 만듭니다. 나무로 악기도 만들 수 있습니다.

나무로 집도 만듭니다. 지금은 철근과 콘크리트로 집을 짓지만, 예전에는 나무 없이는 집을 지을 수 없었습니다. 커다란 통나무로는 기둥, 대들보, 서까래를 만들고, 나무를 다듬어서 문, 창, 마룻바닥을 만들었습니다. 나무는 무르고 부드러워서 다루기가 쉽습니다. 그래서 갖가지 모양으로 깎을 수 있고 멋진 무늬를 새길 수도 있습니다. 나무로 무엇인가 만드는 사람을 목수라고 하는데, 목수는 톱으로 나무를 자르고, 대패로 밀고, 송곳과 끌로 구멍을 내어 물건을 만듭니다.

집을 짓거나 가구를 만드는 나무는 줄기가 굵고 키가 큽니다. 어른 키보다 몇 배나 크게 자라는 나무가 많지만, 모든 나무가 다 키가 크지는 않습니다. 진달래나 개나리처럼 작은 나무도 있습니다. 그리고 한라산에서만 자라는 돌매화나무는 어지간한 풀보다 작지만, 그래도 나무입니다.

가시가 있는 찔레나무나 탱자나무는 옛날부터 돌담을 대신하는 울타리로 썼습니다. 지금도 나무를 심어 울타리로 삼는 것을 자주 볼 수 있습니다. 공해에 강하고 잎에 잔털이 있어 먼지를 잡아 주는 은행나무나 플라타너스는 길가에 가로수로 심습니다.

어떤 나무는 껍질이나 잎을 사용합니다. 육계나무, 헛개나무, 가시오갈피나무는 껍질을 말려서 쓰고, 차나무, 감나무, 뽕나무는 잎을 말려서 차로 끓여 마십니다. 나무로 약도 만들어 먹는데, 버드나무 껍질로는 열을 내리고 통증을 달래주는 약을 만들고, 은행나무 잎으로는 피를 잘 돌게 하는 약을 만듭니다.

나무는 열매를 맺는데, 특히 사람이 좋아하는 맛있는 열매를 과일이라고 합니다. 과일은 그냥 먹기도 하지만, 잼을 만들어 먹기도 하고 즙을 내서 마시기도 합니다.

재미있는 이름을 가진 나무도 많습니다. 잎이 뾰족하여 호랑이가 등을 긁는다고 해서 (㉠), 좁쌀을 튀겨 놓은 것 같은 하얀 꽃이 핀다고 해서 (㉡), 장작으로 태울 때 자작자작 소리를 낸다고 해서 (㉢), 열매 모양이 꼭 쥐똥처럼 까맣고 동그래서 (㉣), 이정표 삼아 오 리마다 한 그루씩 심는 (㉤) 등은 재미있는 이름을 가진 나무입니다.

우리나라 사람들에게 특히 사랑을 받는 나무도 있습니다. 사시사철 잎이 푸른 소나무, 줄기가 곧게 자라는 대나무, 눈이 날리는 늦겨울에 꽃이 피어 봄을 부르는 매화나무는 향기 짙은 난초와 함께 우리 조상의 시와 그림에서 자주 볼 수 있습니다.

나무는 다른 나무와 풀, 온갖 동물과 어우러져 숲을 이룹니다. 숲에는 수많은 동물과 식물이 나무의 도움을 받으며 함께 살아가고 있습니다.

1 주제찾기

글에서 주로 다룬 내용은 무엇입니까? ( )

① 나무의 특성과 쓰임새
② 나무가 특히 잘 자라는 땅
③ 재미있는 나무의 이름 붙이기
④ 우리나라 사람에게 사랑을 받는 나무
⑤ 우리나라 숲에서 가장 많이 자라고 있는 나무

2 글감찾기

글의 중심 재료를 한 낱말로 쓰세요.

( )

3 사실이해

글에 나타나지 <u>않은</u> 내용은 어느 것입니까? ( )

① 나무로 집을 지을 수 있다.
② 나무로 문, 창, 마룻바닥을 만들었다.
③ 나무로 갖가지 모양을 깎기가 매우 어렵다.
④ 돌매화나무는 풀보다 작지만 그래도 나무이다.
⑤ 집을 짓거나 가구를 만드는 나무는 줄기가 굵다.

4 미루어알기

㉠~㉤에 들어갈 이름으로 <u>잘못된</u> 것은 어느 것입니까? ( )

① ㉠-호랑가시나무
② ㉡-조팝나무
③ ㉢-자작나무
④ ㉣-쥐똥나무
⑤ ㉤-이정표나무

해설편 19쪽

5

세부내용

글을 잘 이해하기 위한 방법으로 볼 수 없는 것은 무엇입니까? ············ (　　)

① 아는 내용을 떠올려가며 읽는다.

② 겪은 일인지 떠올려가며 읽는다.

③ 새로 알게 된 내용을 정리해가며 읽는다.

④ 어려워 이해할 수 없는 내용은 지나치며 읽는다.

⑤ 알고 싶었거나 궁금했던 내용을 찾아보며 읽는다.

6

적용하기

글을 읽고 아는 내용이나 겪은 일을 어떻게 활용할 수 있는지 선으로 이어보세요.

(1) 겪은 일이나 알고 있는 내용과 비교하며 읽는다. ●

(2) 새로 알게 된 내용을 생각하며 읽는다. ●

(3) 알고 싶거나 궁금하였던 내용을 중심으로 읽는다. ●

● ㉠ 나무로 만든 집에서 잔 적이 있는데 여름인데도 정말 시원했어.

● ㉡ 가장 작은 나무는 얼마나 작을까? 풀보다 작은 나무도 있다는데, 그것보다 더 작은 나무는 없을까?

● ㉢ 꽃이나 열매 등의 모양을 보고 이름을 지은 나무도 있다는 것을 알게 되었어.

7

요약하기

나무의 쓰임새를 아래의 표로 정리했습니다. 빈칸을 채워 완성하세요.

나무 이름	쓰임새
찔레나무, 탱자나무	① □□□
은행나무, 플라타너스	② □□□
차나무, 감나무, ③ □□□	잎을 말려 차를 만든다.
④ □□□□ 껍질	약을 만든다.

어휘학습

뜻 낱말의 뜻풀이로 알맞은 것을 보기 에서 골라 괄호 안에 기호를 쓰세요.

(1) 장난감 (　　　)
(2) 울타리 (　　　)
(3) 대들보 (　　　)

보기
㉠ 아이들이 가지고 노는 여러 가지 물건.
㉡ 기둥과 기둥 사이에 건너지르는 큰 들보.
㉢ 풀이나 나무 따위를 얽거나 엮어서 담 대신에 경계를 지어 막는 물건.

다지기 보기 에서 알맞은 낱말을 골라 아래의 빈칸을 채우세요.

보기
장난감　　울타리　　대들보

(1) 새로 집을 짓고 그 둘레에 탱자나무를 심어 □□□로 삼았다.

(2) 주춧돌 위에 기둥을 세우고 그 사이에 □□□를 올렸다.

(3) 집의 마당과 방에는 온통 아이들 □□□이 널려 있었다.

넓히기 다음 한자어의 구성과 뜻을 알아보고, 빈칸에 알맞은 한자어를 쓰세요.

- **목수(木** 나무 목. **手** 손 수.) 나무를 다루어 집을 짓거나 가구, 기구 따위를 만드는 일을 직업으로 하는 사람.
- **가구(家** 집 가. **具** 갖출 구.) 집안 살림에 쓰는 기구. 주로 장롱, 책장, 탁자 따위와 같이 비교적 큰 제품을 이른다.

(1) 방에 □□가 하나도 없어서 썰렁해요.

(2) □□ 중에서 집을 짓는 이를 대목장, 가구, 기구 따위를 만드는 이를 소목장이라 불렀어요.

시간 공부 날짜 □월 □일
푸는데 걸린 시간 □분

확인 맞은 개수 써보기

독해	개/7개	어휘	개/8개

8주 38회

해설편 19쪽

39

커다란 가르침을 주거나 본보기가 될 만한 사람이 어떻게 살았는지 써놓은 글을 '전기'라고 해요. 그 사람이 어떤 가르침을 주었는지, 어떻게 본보기가 되었는지 새겨가면서 읽으면 흥미가 더해지고, 깨달음도 얻게 됩니다.

1.  15점 2.  10점 3.  15점 4.  15점 5.  15점 6.  15점 7. 15점

(가) 나비는 잡힐 듯 잡힐듯하면서도 계속 날아갔습니다. 석주명은 있는 힘을 다하여 나비를 뒤쫓았으나 나비는 어디로인가 사라져 버렸습니다.

㉠<u>'어떻게 해서든지 저 나비를 꼭 잡아야 해.'</u>

석주명은 나비를 찾기 위하여 풀숲도 헤쳐 보고 나뭇가지도 흔들어 보며 온 산을 헤매고 다녔습니다. 여기저기 부딪혀 멍이 들고 나뭇가지에 살갗이 긁혀 피가 흘렀습니다. 그러기를 여러 시간, 그는 마침내 나비를 잡을 수 있었습니다. 우리나라에서는 처음 발견된 나비였습니다. 석주명은 이 나비한테 '지리산팔랑나비'라는 이름을 붙였습니다.

(나) 석주명은 어렸을 때 개와 고양이뿐만 아니라 비둘기, 도마뱀까지 기를 만큼 동물을 좋아하였습니다. 그리고 친구들과 어울려 다니며 뛰어놀기를 좋아하는 개구쟁이이기도 하였습니다. / 그런데 그때는 우리나라가 일본에 나라를 빼앗긴 시대였습니다. 석주명은 독립 운동가들을 도와주시는 아버지의 모습을 보며 자랐습니다. 어린 나이에 석주명은 삼일 운동에도 참여하였습니다.

(다) 석주명이 나비를 연구하기로 마음먹은 것은 일본에서 공부하던 스물한 살 때였습니다. 석주명에게 일본인 선생님이 말하였습니다.

"조선에는 아직 나비에 관한 연구가 제대로 되어 있지 않아. 나비를 연구해 보게. 자네가 끊임없이 연구한다면 세계적인 나비 박사가 될 수 있을 걸세."

석주명은 선생님의 말씀을 듣고 결심하였습니다.

'그렇다, 나도 무엇인가를 해야 한다. 먼저 나는 우리나라의 나비를 연구할 것이다. 아무도 하지 않은 이 일을 내가 반드시 해내고야 말리라.'

(라) 우리나라로 돌아온 석주명은 마음을 굳게 먹고 나비 연구를 시작하였습니다. 밥 먹는 시간도 아까워서 길을 걸으며 땅콩을 먹었고, 새벽 두 시 전에는 결코 잠자리에 들지 않았습니다. 언제 어디에서나 오직 나비만을 생각하며 연구에 몰두

하였습니다.

이렇게 십 년의 세월이 흘렀습니다. 그러던 어느 날, 석주명은 편지 한 통을 받았습니다.

석주명 선생님께

조선에 있는 모든 나비를 연구하여 책으로 써 주십시오.

영국왕립아시아학회

석주명은 우리나라 나비에 대한 모든 것을 알 수 있는 책을 쓰기로 하였습니다. 그는 이 책을 쓰기 위하여 수만 마리의 나비를 모으며 온갖 정성을 쏟았습니다. 그리고 일본 학자들이 우리나라 나비에 대하여 잘못 쓴 부분들을 찾아내어 바로잡았습니다. 이렇게 하여 석주명은 우리나라에 사는 나비에 관한 책을 완성하여 영국 왕립 도서관으로 보냈습니다.

(마) 이렇듯 석주명은 나비를 연구하는 데 온 힘을 다하였습니다. 그는 무려 나비 75만여 마리를 모았습니다. 그리고 ㉡일본어로 되어 있던 나비 이름을 '수노랑나비', '유리창나비' 등의 우리말 이름으로 바꾸어 붙였습니다. 나라를 빼앗겨 어두웠던 시대에 석주명은 나비를 연구하여 우리 민족의 훌륭함을 온 세계에 알렸습니다.

1 주제찾기

읽는 이에게 본보기가 될 만한 장면은 무엇입니까? ( )

① 발견되지 않았던 나비가 나타난 장면
② 나비 채집을 위해 온힘을 다하는 장면
③ 친구들과 어울려 다니며 뛰어노는 장면
④ 영국아시아학회에서 편지를 받아든 장면
⑤ 나비를 연구한 책을 영국으로 보내는 장면

2 제목찾기

빈칸을 채워 이 글의 제목을 완성하세요.

☐☐ 박사 석주명

8주 39회

해설편 20쪽

3
사실이해

석주명이 나비 연구를 결심하도록 한 사람은 누구인지 글에서 찾아 쓰세요.

( )

4
미루어알기

㉠은 어떤 특징이 있는 말입니까? ( )

① 두 사람이 주고받는 말
② 한 사람이 청중에게 하는 말
③ 혼자서 중얼거리는 말
④ 여러 사람이 주고받는 말
⑤ 편을 갈라 옳고 그름을 따지는 말

5
세부내용

(가)~(마) 중, 시간을 거슬러서 옛날 일을 이야기하기 시작한 것은 어디서부터인지 기호를 쓰세요.

( )

6
적용하기

㉡에서 짐작할 수 있는 석주명의 마음으로 알맞은 것은 어느 것입니까? ( )

① 의심하는 마음
② 호기심이 많은 마음
③ 나라를 사랑하는 마음
④ 동물을 사랑하는 마음
⑤ 이웃을 널리 사랑하는 마음

7
요약하기

석주명이 한 일을 아래의 표로 간추렸습니다. 빈칸에 알맞은 말을 쓰세요.

연구에 몰두함	영국왕립아시아학회의 편지를 받음. 우리나라 나비에 대한 모든 것을 알 수 있는 책을 쓰기로 함. 완성한 책을 ① □□□□□□□ 으로 보냄.
남긴 일	② □□ 학자들의 잘못을 바로잡음. 75만여 마리의 나비를 모음. 일본어로 되어 있던 나비 이름을 ③ □□□ 이름으로 바꾸어 붙임.

어휘학습

뜻

낱말의 뜻풀이로 알맞은 것을 보기 에서 골라 괄호 안에 기호를 쓰세요.

(1) 나풀거리다 (   )
(2) 팔랑거리다 (   )
(3) 두근거리다 (   )

보기
㉠ 나비나 나뭇잎 따위가 가볍게 계속 날아다니다. 바람에 가볍고 힘차게 계속 나부끼다.
㉡ 몹시 놀라거나 불안하여 가슴이 자꾸 뛰다. 또는 그렇게 하다.
㉢ 얇은 물체가 바람에 날리어 가볍게 자꾸 움직이다.

다지기

보기 에서 알맞은 말을 골라 아래의 빈칸을 채우세요.

보기
나풀 팔랑 두근

(1) 호랑나비 한 마리가 ☐☐거리며 초가 위로 날아간다.
(2) 얇은 종이가 바람이 불 때마다 ☐☐거리며 소리를 낸다.
(3) 맞수와 겨루어 게임에 이기자 ☐☐거리는 가슴을 억누르지 못했다.

넓히기

다음 한자어의 구성과 뜻을 알아보고, 빈칸에 알맞은 한자어를 쓰세요.

- **채집(採** 캘 채. **集** 모을 집.**)** 널리 찾아서 얻거나 캐거나 잡아 모으는 일.
- **연구(研** 갈 연. **究** 연구할 구.**)** 어떤 일이나 사물에 대하여서 깊이 있게 조사하고 생각하여 참된 이치를 따져 보는 일.

(1) 동식물의 표본을 ☐☐하기 위하여 산과 들을 돌아다녔다.
(2) 석주명은 평생 동안 나비를 ☐☐하였다.

시간 공부 날짜 ☐ 월 ☐ 일
푸는데 걸린 시간 ☐ 분

확인 맞은 개수 써보기

독해	☐ 개/7개	어휘	☐ 개/8개

해설편 20쪽

40

생각 열기

산속의 바위 틈새에서 흘러나오거나, 땅속에서 솟아나는 샘물을 마주하면 어떤 느낌이 들까요? 시원하다는 느낌이 들겠죠. 또 어떤 사람은 가슴이 후련해지는 느낌을 받을 수 있겠죠. 누구는 또 새로운 힘을 얻는 듯한 느낌이 들 수도 있을 거예요. 맑은 샘물은 이렇게 사람들을 기분 좋게 합니다.

점수 계산 1. 15점 2. 10점 3. 15점 4. 15점 5. 15점 6. 15점 7. 15점

바위 틈새 속에서
쉬지 않고 송송송.

맑은 물이 고여선
넘쳐흘러 졸졸졸.

푸고 푸고 다 퍼도
끊임없이 송송송.

푸다 말고 놔두면
다시 고여 졸졸졸.

1 주제찾기

시에서 떠올린 풍경으로 알맞은 것을 고르세요. ( )

① 샘물을 마시는 사람들
② 폭포가 있는 깊은 산속
③ 바위틈을 뚫고 크는 나무
④ 나무와 풀이 우거진 울창한 숲
⑤ 맑은 물이 고였다가 넘치는 옹달샘

2 글감찾기

시의 글감을 아래와 같이 설명하고자 합니다. 빈칸에 알맞은 낱말을 쓰세요.

이 시는 산의 바위 틈새로 흘러넘치는 □□을 읊은 것입니다.

3 사실이해

시의 모양이 보여 주는 특징을 가장 잘 설명한 것은 어느 것인가요? ( )

① 쉴 새 없이 말을 길게 이어가고 있다.
② 짤막하게 끊었다가 길게 이어가고 있다.
③ 각 연에서 행의 길이가 갈수록 길어지고 있다.
④ 짧은 행과 긴 행이 모여서 4개 연을 이루고 있다.
⑤ 모든 연이 2행씩으로 되어 있고 행의 길이가 같다.

4 미루어알기

시에서 말하는 이에 대한 설명으로 알맞은 것은 무엇인가요? ( )

① 경치를 물끄러미 바라보고 있다.
② 산을 오르다가 샘물을 마시고 있다.
③ 샘물의 아름다운 모습에 놀라워하고 있다.
④ 맑은 샘물을 퍼서 친구들에게 나누어주고 있다.
⑤ 샘물이 다시 고일 때까지 하염없이 기다리고 있다.

5 세부내용

시에서 소리를 흉내낸 말을 모두 찾아 쓰세요.

( )

6 적용하기

시를 읽고 떠올린 느낌으로 알맞은 것을 고르세요. ( )

① 기쁘다.
② 시원하다.
③ 슬프다.
④ 답답하다.
⑤ 뜨겁다.

7 요약하기

시의 내용을 연에 따라 나누어 정리해 보았습니다. 빈칸에 공통으로 들어갈 낱말을 쓰세요.

1연	바위틈에서 □□이 솟아나는 모습
2연	□□이 고였다가 넘쳐흐르는 모습
3연	계속 퍼도 □□이 솟아나는 모습
4연	고여 있던 □□이 흘러가는 모습

어휘학습

뜻

낱말의 뜻풀이로 알맞은 것을 보기 에서 골라 괄호 안에 기호를 쓰세요.

(1) 옹달샘 (　　)

(2) 박우물 (　　)

보기
㉠ 바가지로 물을 뜰 수 있는 얕은 우물.
㉡ 작고 오목한 샘.

다지기

보기 에서 알맞은 낱말을 골라 아래의 빈칸을 채우세요.

보기
옹달샘　　박우물　　도래샘

(1) 바가지를 가지고 가서 뒤곁에 있는 □□□에서 물을 좀 떠 오너라.

(2) 깊은 산 속에 있는 □□□에서 토끼가 물을 마신다.

넓히기

다음 한자어의 구성과 뜻을 알아보고, 빈칸에 알맞은 한자어를 쓰세요.

- **지하수(地** 땅 지. **下** 아래 하. **水** 물 수.) 땅속의 흙과 모래, 암석 따위의 빈틈을 채우고 있는 물.
- **석간수(石** 돌 석. **間** 사이 간. **水** 물 수.) 바위틈에서 나오는 샘물.

(1) 산길을 걸어가다가 돌틈에서 나오는 □□□를 그대로 입으로 받아 마신다.

(2) 땅을 깊이 파내려가 □□□를 퍼올렸다.

해설편 20쪽

시간 공부 날짜 　월 　일
푸는데 걸린 시간 　분

확인 맞은 개수 써보기

독해	개/7개	어휘	개/6개

어휘·어법 총정리 8주차

어휘 **보기** 의 낱말을 보고, 뜻과 어울리는 것을 골라 아래의 빈칸에 써보세요.

보기	되묻다	함부로	새기다	실천하다	존중하다	아름드리	가로수	개구쟁이

1. 잊지 아니하도록 마음속에 깊이 기억하다. [ ]
2. 같은 질문을 다시 하다. 물음에 대답하지 아니하고 도리어 묻다. [ ]
3. 생각한 바를 실제로 행하다. [ ]
4. 조심하거나 깊이 생각하지 아니하고 마음 내키는 대로 마구. [ ]
5. 둘레가 한 아름이 넘는 것을 나타내는 말. [ ]
6. 심하고 짓궂게 장난을 하는 아이. [ ]
7. 높이어 귀중하게 대하다. 높고 귀하다. [ ]
8. 거리의 모습과 국민 보건 따위를 위하여 길을 따라 줄지어 심은 나무. [ ]

어법 다음 중 맞춤법에 맞는 것을 골라 동그라미 하세요.

1. 목소리를 [낮춰 / 낟춰] 말했다.
2. 검정소가 더 [낫다 / 낳다 / 낮다].
3. [함부러 / 함부로] 말하지 말라.
4. [소근거리며 / 소곤거리며] 말했다.
5. [갓가지 / 갖가지] 모양.
6. [살같이 / 살갗이] 긁혀서 아프다.
7. 숨을 [죽인 체 / 죽인 채] 다가갔다.
8. 샘이 [매말랐다 / 메말랐다].

나의 점수 확인하기

어휘	개 / 8개	어법	개 / 8개

평가와 진단하기

1. 각 회차의 유형에 정답을 맞혔으면 'ㅇ'표를 틀렸으면 '×'를 하세요.
2. 제재별 '소계'에 유형별로 맞은('ㅇ'표) 개수를 쓰세요.
3. 영역별로 맞힌 개수를 적고, 부족한 부분을 파악해 보세요.
4. 많이 틀리는 유형이 한눈에 보이므로 자신의 부족한 부분을 진단하고 보완하세요.

영역	회/주차	1번 (주제찾기)	2번 (제목(글감)찾기)	3번 (사실이해)	4번 (미루어알기)	5번 (세부내용)	6번 (적용하기)	7번 (요약하기)
인문 ( ) /56개	1/01							
	2/06							
	3/11							
	4/16							
	5/21							
	6/26							
	7/31							
	8/36							
	소계	( )/8개	( )/8개	( )/8개	( )/8개	( )/8개	( )/8개	( )/8개
사회 ( ) /56개	1/02							
	2/07							
	3/12							
	4/17							
	5/22							
	6/27							
	7/32							
	8/37							
	소계	( )/8개	( )/8개	( )/8개	( )/8개	( )/8개	( )/8개	( )/8개
과학 ( ) /56개	1/03							
	2/08							
	3/13							
	4/18							
	5/23							
	6/28							
	7/33							
	8/38							
	소계	( )/8개	( )/8개	( )/8개	( )/8개	( )/8개	( )/8개	( )/8개

3단계
3, 4학년 대상

독해력 키움

초등 국어 7유형 독해법

7가지 비법으로 체계적인 독해력 향상

정답 및 해설

KILE 한국학력평가원

1주차

01 널뛰기 방법

본문 10쪽

1 ④ 2 규칙 3 ④ 4 ④
5 ① 6 ④ 7 ① 준비물, ② 규칙

어휘력 키우기

뜻 (1) ㉡ (2) ㉠ (3) ㉢
다지기 (1) 널빤지 (2) 널뛰기
넓히기 (1) 균형 (2) 박자

1. 널뛰기의 규칙이 글 전체의 중심 내용입니다. 넷째 문단에 자세히 나와 있어요.

(가) 고려시대 여성들이 즐겼을 것으로 보는 널뛰기 → (나) 널뛰기 할 때의 준비물 → (다) 널뛰기의 준비 → (라) 널뛰기의 방법 → (마) 널뛰기에서 이기기(판정)

2. 글의 중심 내용을 다시 한 번 확인하는 문제입니다. '유래'는 (가)에 '규칙'은 (라)에 자세히 나와요.

3. 널의 중앙에 앉은 사람은 널이 쏠리지 않도록 균형을 잡아주는 역할을 해요.

4. 마주 보고 널을 뛰는 2명과 널의 중간에 앉아서 균형을 잡아주는 사람과 심판으로 구성되어요.

5. 널뛰기에서 이기려면 어떻게 해야 하는지는 (라)에서 자세하게 방법을 알려주고, (마)에서 이기기 위해서는 '박자를 잘맞추어 균형을 잡고 뛰어야 한다.'고 했어요.

6. (라) "첫 번째 순서인 사람들이 판자의 양 끝에 서서 한 번씩 번갈아 가며 널을 뜁니다. 널을 뛰는 사람은 상대방이 높이 올랐다가 널에 발이 닿으면 바로 위로 뛰어야 합니다."에 잘 드러나 있어요.

7. (나)에서 준비물을 나열하고, (라)에서는 실제 널뛰기의 방법과 규칙을 설명하고 있어요.

어휘력 키우기

다지기 (1) '널'이나 '판자'라고도 해요. '널판자'는 잘못이니 쓰지 않도록 해요.
(2) 가마니를 괴어야 잘 할 수 있는 것이 무엇인지 읽은 글에서 확인해 봐요.

넓히기 (1) 세련되고 치우치지 않고 고른 상태의 다보탑
(2) 춤을 추려면 리듬에 맞추어야 겠죠.

02 옛날 사람들의 지도

본문 14쪽

1 ① 2 지도 3 ④ 4 글자
5 ⑤ 6 ②
7 ① 나무줄기 ② 동물의 가죽

어휘력 키우기

뜻 (1) ㉢ (2) ㉠ (3) ㉡ (4) ㉣
다지기 (1) ① 무겁다, ② 가볍다 (2) ① 그렸다, ② 지웠다
넓히기 (1) 지도 (2) 재료

1. 옛날 사람들이 그린 지도를 글감으로 삼았죠. 이런 지도 가운데, '점토판 지도'에 초점을 맞추어 내용을 펼쳤어요.

점토판 지도(1문단)
↓
그림에 가까운 모습의 점토판 지도(2문단)
↓
그밖의 여러 가지 지도(3문단)

⇨ 옛날에 지도를 만들었던 방법

2. '지도'가 글감이지만 이 글은 옛날 사람들이 그린 지도를 다루었고, 그 중에서도 점토판 지도를 중심으로 다루었어요.

3. 글에 설명한 사실과 맞아떨어지면 답이 되어요. 둘째 문단에서, 점토판 지도 중 남아 있는 것으로 가장 오래된 바빌로니아의 지도는 문자가 없던 시대에 만들어져서 그림에 가깝다고 설명하고 있어요.

4. 가장 오래된 지도인 바빌로니아의 점토판 지도는 글자가 만들어지기 이전에 만들어졌다고 했어요.

5. 글에 나온 나라 이름은 '바빌로니아'뿐이에요.

6. 그림만으로는 부족해요. 그림이 무엇을 뜻하는지, 또 무엇을 가리키는지 알려주는 글자가 필요해요.

7. 점토판 지도 이외 다른 지도에 대한 설명이 끝 문단에 나와요.

어휘력 키우기

다지기 (1) ① 물에 가라앉으니까 '무겁다'
② 둥둥 뜬다고 했으니까 '가볍다'
(2) ① '눈앞에 펼쳐진 풍경을'에 이어지니까 '그렸다'
② 마음에 들지 않아서 '지웠다'

넓히기 (1) 지도에는 그림뿐만 아니라 글자도 쓰여 있어요.
(2) 무엇을 만드는 데 필요한 원료를 '재료'라고 해요.

03 자동차 속의 물질

본문 18쪽

1 ④ 2 물질 3 ③ 4 ①
5 ③ 6 ④ 7 ① 몸체, ② 공기

어휘력 키우기

뜻 (1) ㉡ (2) ㉢ (3) ㉠
다지기 (1) 딱딱한 (2) 단단한 (3) 부드러운
넓히기 (1) 물질 (2) 물건 (3) 물체

1. 첫 문단 끝 문장에서 무엇을 주요 내용을 삼을지 말하고, 그 아래에서 항목을 나누어 가면서 상세하게 설명하였어요.

자동차에 있는 물질의 상태(글감)(1문단)
↓
자동차에 있는 고체(2문단), 자동차에 있는 액체(3문단), 자동차에 있는 기체(4문단)

⇨ 여러 가지 상태의 물질로 만들어진 자동차

2. 글에서 여러 가지 상태의 물질을 자동차에 있는 것들을 예로 들면서 설명하였죠.

3. 고체, 액체, 기체의 성질이 어떠한지 종류를 나눈 다음 각각에 속하는 예를 드는 방법을 썼어요.

4. 비행기는 자동차보다 훨씬 커요. 더 많은 종류의 물질로 만들어지겠죠.

5. '운반하는'은 '옮겨서 나르는'이라는 뜻이고, '방지하기'는 '막아내기'라는 뜻이에요. 대신 넣어보면 이런 뜻임을 알 수 있을 거예요.

6. 보통의 자동차는 자동차를 움직일 수 있도록 하는 연료로 휘발유와 경유를 사용하지만 전기 자동차는 전기가 연료를 대신합니다.
① 몸체와 내부 부품은 그대로 필요하죠.
② 전기차도 타이어가 있죠.
③ 전기자동차를 움직이는 연료는 전기입니다.
⑤ 에어컨 자체가 바뀌진 않아요.

7. 표의 어구나 문장을 보고, 빈칸을 채울 낱말이 나온 자리를 글에서 찾아가 보세요.

어휘력 키우기

다지기 (1) 고체니까 딱딱하죠.
(2) 무르지 않고 야무지고 튼튼한 껍질.
(3) 거칠거나 뻣뻣하지 않은 속살.

넓히기 (1) 여과기로 걸러내려는 것은 물체의 본바탕이 되는 물질이겠지요.
(2) 쓸 만한지 하나하나 세어볼 수 있는 형체가 있는 것
(3) 이상한 모양을 지닌 것이 공중에 떠 있다.

04 도깨비를 골탕 먹인 농부

본문 22쪽

1 ① 심술, ② 농부 2 ① 도깨비, ② 농부
3 ④ 4 ① 5 ③ 6 ①
7 알밤

어휘력 키우기

뜻 (1) ㉠ (2) ㉡
다지기 (1) 심술쟁이 (2) 심술궂게
넓히기 (1) 풍년 (2) 지혜

1. 까닭 없이 심술을 부리는 도깨비를 농부가 지혜를 발휘하여 혼내 주는 이야기입니다.

일이 일어난 때와 인물을 드러냄
↓
도깨비의 심술을 자신의 이익으로 돌려놓은 농부

2. 주요 등장인물 둘을 찾아 보세요.

3. 글에도 나오듯이 이런 성격을 '심술궂다'고 하는 거예요.
① 모나다 : (말/행동이) 둥글지 못하고 까다롭다.
② 모질다 : 매섭고 독하다, 매섭고 사납다, 억세다의 뜻이 있어요.
③ 너그럽다 : 마음이 넓고 아량이 있다.
⑤ 둥글둥글하다 : '모나다'의 반대의 뜻이에요.

4. 도깨비에게 속아 넘어가는 척하며, 농부가 자신의 마음을 감추는 장면이네요.

5. 이야기 안에서 '농부는 속으로는 무척 좋았지.'라고 말하는 것을 보면, 등장인물의 마음을 잘 알고 있네요.

6. 도깨비를 속이기 위해 속마음을 감추고 반대되는 표정을 짓고 목소리를 내야 하겠지요.

7. 펼쳐진 줄거리를 보면, 지혜로운 농부에게 속아 넘어가는 도깨비의 행동이 다시 줄거리로 이어져야 합니다. 빈칸의 글자 수는 바로 위의 구절에 맞추면 되어요.

어휘력 키우기

다지기 (1) 심술이 매우 많은 사람을 심술쟁이라고 일컫는다고 해요.
(2) 갑자기 성가시게 비가 내리게 하는 하늘에 대한 느낌.

넓히기 (1) 벼가 자라기에 좋은 날씨가 많았다면, 수확이 매우 많은 해가 되겠네요.
(2) 하나를 듣고 열을 깨칠 정도이면, 사물의 이치를 빨리 깨닫고 일을 정확하게 처리하는 마음의 힘이 으뜸이라 해도 좋겠죠.

05 봄 오는 소리

본문 26쪽

1 ④ 2 소곤소곤 3 ⑤ 4 ⑤
5 ① 6 ① 사람, ② 소곤소곤
7 ① 소곤소곤, ② 소곤소곤, ③ 잠

어휘력 키우기

뜻 (1) ㉢ (2) ㉡ (3) ㉠
다지기 (1) 상추씨 (2) 별빛 (3) 꽃가지
넓히기 (1) 춘면 (2) 생동

1. '별빛'도, '상추씨'도, '꽃가지'도 모두 '소곤소곤' 살아 움직이며 나에게 다가온다고 하네요.
2. 여러 가지 자연물들이 '소곤소곤' 다가온다고 반복하여 표현하였어요. 살아 움직이는 봄의 자연이 친근하게 나에게 다가옴을 여러 번 말하여 강조하였어요.
3. 넷은 친근하게 다가온다는 느낌을 주는데, '밤새'는 '밤새도록'이라는 뜻으로 시간이 지나갔음을 알려줄 뿐이네요.
4. 앞의 두 연에 나온 내용과 연결시켜 보면, 봄이 되어 새롭게 살아 움직이는 자연을 맞이하는 설렘 때문에 잠을 이루지 못한 것으로 볼 수 있어요.
5. 이야기와 달리, 시는 줄이 나누어져 있고 두 줄 또는 석 줄이 하나의 연을 이루고 있어요.
6. '별빛', '상추씨', '꽃가지' 등이 사람처럼 소곤소곤 말을 하고 있어요.
7. 연의 순서에 따라 내용 흐름을 정리하였네요.

어휘력 키우기

다지기 (1) 텃밭에 배추씨와 함께 심은 것
(2) 밤하늘에서 볼 수 있는 것은 뭐예요?
(3) 봄이 되어 꽃이 탐스럽게 핀 곳은?

넓히기 (1) 봄철의 노곤한 잠을 설명하고 있네요.
(2) 봄이 되면 만물이 살아 움직이는 느낌이에요.

어휘·어법 총정리 1주차

본문 30쪽

어휘 1 고안하다 2 유래 3 괴다
4 내려오다 5 운반하다 6 지혜롭다
7 일구다 8 선별하다

어법 1 슬그머니 2 굳히다 3 썩어서
4 껍데기 5 심술쟁이 6 나뭇조각
7 별빛 8 꽃가지

2주차

06 놀이동산의 안내방송

본문 32쪽

1 ② 2 안내 방송 3 ③ 4 불편
5 ① 6 ① 7 ① 도우미, ② 안내소

어휘력 키우기

뜻 (1) ㉡ (2) ㉠ (3) ㉢
다지기 (1) 들어가셨다 (2) 바랍니다 (3) 드립시다
넓히기 (1) 방송 (2) 안내

1. 첫 문단에 이 글이 안내 방송에 사용할 내용이며, 방송에서 주의 깊게 새겨야 할 두 가지를 말해 주었어요.

놀이동산 안내방송 시작
↓
놀이동산에서 주의할 점과 공연 시간 안내
↓
안내방송을 끝내는 말

2. 제목으로 삼을 만한 말이 끝 문단에 나와요.
3. ㉠의 다음에 이어지는 내용을 보면 그 이유를 알 수 있어요.
4. 놀이동산의 도우미나 안내소를 찾아야 할 때가 언제일지 생각해 보아요. 불편함을 느끼거나 궁금한 일이 생길 때이겠죠.
5. 놀이동산에서 들었던 내용이에요.
6. 놀이동산 찾아 주심에 대해 감사 인사를 하는 곳과, 놀이동산에서 많은 사람이 귀담아 방송을 들을 수 있는 곳이라야 효과를 크게 올릴 수 있을 거예요.
7. 방송을 들은 뒤에 또 불편하거나 궁금한 점이 생기면 어디를 찾으라고 했죠? 글의 끝 문단을 보세요.

어휘력 키우기

다지기 (1) '들어가시다'를 꼴바꿈하여 넣어요.
(2) '바라다'의 높임말을 써야 해요.
(3) '드리다'를 꼴바꿈하여 넣어요.

넓히기 (1) 보내거나 놓아 보내는 일을 뜻하는 낱말을 넣어요.
(2) 데려다주거나 모르는 일을 알려주는 것을 '안내'라고 해야겠네요.

07 우리 지역과 다른 나라의 교류

본문 36쪽

1 교류　2 ③　3 ②　4 ④
5 ⑤　6 ③
7 ① 축제, ② 학생, ③ 방문, ④ 학교

어휘력 키우기

뜻 (1) ㉡　(2) ㉠
다지기 (1) 외래어　(2) 순화어
넓히기 (1) 지역　(2) 교류

1. 글에 가장 자주 나타난 말이 '교류'예요.

지역 간 교류를 알아보겠다고 함
↓
부산광역시와 다른 나라의 지역과의 교류
↓
지역에 따라 달라지는 교류 내용

2. 우리나라의 한 지역과 다른 나라의 지역 사이에 이루어진 교류를 글감으로 삼았어요.

3. 첫 문단에서 글쓴이가 스스로 묻고, 그 아래에서 그에 대해 답하는 내용으로 펼쳐나간 글이에요.

4. 글의 첫 문장에 나온 내용에서 확인할 수 있어요.
① 첫 문장에 거리와 관계없이 교류한다고 했어요.
② 그런 내용은 없어요.
③ 이 글에는 나타나지 않았지만 나라와 나라 사이도 당연히 교류를 하고 있어요.
⑤ 마지막 문단에 '교류의 내용은 지역에 따라 다르다.'했어요.

5. 글에 나오지 않은 도시가 하나 있어요. 자카르타는 인도네시아공화국의 도시랍니다.

6. 우리나라에 있는 부산이라는 지역과 다른 나라에 있는 지역 사이의 교류라는 내용이에요.

7. 셋째 문단에 교류의 내용이 지역에 따라 어떻게 다른지 자세히 다루어졌어요.

어휘력 키우기

(1) 컴퓨터를 사용하여 인터넷을 하면서 생긴 외래어 중에서 대표적인 것이 '홈페이지'이죠.
(2) '홈페이지'라는 외래어를 순화하여 '누리집'으로 쓰기로 했어요.

넓히기 (1) 말이 차이가 나는 것을 무엇에 따른 것인지 생각해 봅니다.
(2) 나라와 나라 사이에 문화를 주고받는 일을 뜻해요.

08 이가 없는 동물

본문 40쪽

1 먹이, 먹는 방법　2 ③　3 ③
4 ④　5 ①　6 ⑤
7 (1) 핥아　(2) 빨아　(3) 들이

어휘력 키우기

뜻 (1) ㉢　(2) ㉠　(3) ㉡
다지기 (1) 찢어　(2) 씹어　(3) 잡아
넓히기 (1) 진공　(2) 치설

1. 보기 를 잘 살려 쓰라고 했어요. [보기]에 있는 낱말에 다른 낱말을 덧붙이거나 꼴바꿈을 해봐요.

글의 주요 내용으로 삼을 것을 알려줌 (이가 없는 동물의 먹이 활동)(1문단)
↓
부리로 먹이를 잡거나 먹는 동물(2문단), 혀로 먹이를 잡거나 먹는 동물(3문단), 입으로 먹이를 빨아들이거나 마시는 동물 (4문단)
↓
앞의 내용 요약(마지막)

2. 글의 내용을 떠올리면서 순서대로 살펴보면 답이 나올 거예요.
부리로 먹이를 먹거나, 혀로 먹이를 먹거나, 입으로 먹이를 먹는 등 이가 없는 동물의 먹이 활동을 다루고 있어요.

3. 이가 없는 동물들이 먹이 활동을 어떻게 하는지 예를 여럿 들어서 쉽게 이해할 수 있도록 하였어요.

4. 두꺼비와 카멜레온 중 어느 쪽이 먹이를 더 많이 먹는지는 글에 나와 있지 않아요.
① 둘째 문단의 내용입니다.
② 첫째·둘째 문장에 나오는 내용입니다.
③ 넷째 문단의 마지막 부분에 설명했어요.
⑤ 글 전체에서 다루고 있어요.

5. 달팽이에게는 '치설'이라는 도구가 있어서 먹이를 갉아먹는다고 했어요. 같은 문단에서는 모두 '혀'에 대해 설명하였어요.
'치설'은 수많은 돌기의 다발로 되어 있는 혀로, 이빨 구실을 하는 혀입니다.

6. '카멜레온'을 설명한 문장을 모두 살펴보면 어떤 동물인지 알 수 있어요.

7. 개미핥기, 해마, 흰긴수염고래가 나온 문장을 찾아가 봐요.

어휘력 키우기

(1) 독수리는 긴 부리로 먹이를 쪼아요.
(2) 소는 이로 풀을 씹어서 삼켜요.
(3) 카멜레온은 긴 혀로 벌레를 잡아서 삼켜요.

넓히기 (1) 아무것도 없는 텅 빈 세계는 '진공'이죠.
(2) 먹이를 갉아먹거나 먹이의 껍데기에 구멍을 낼 만큼 거친 혀를 무엇이라고 이르겠어요?

09 아무도 모를 거야 내가 누군지

본문 44쪽

1 ④ 2 역할 3 건이 4 ①
5 다락방 6 알 수도 있고 모를 수도 있다.
7 네눈박이, 소, 양반, 각시, 할미

어휘력 키우기

뜻 (1) ㉢ (2) ㉠ (3) ㉡
다지기 (1) 반달눈썹 (2) 퉁방울눈 (3) 네눈박이
넓히기 (1) 대문 (2) 가면

1. '건이'가 스스로 다시 떠올릴 수 있을 정도로 인상적인 장면이 기억에 남겠죠. 줄거리에서 반복해서 나오듯이, 탈을 쓰면 아무도 자신이 누구인지 알아보지 못하리라고 생각하고 놀이를 하는 장면이 건이에게는 가장 인상적인 장면일 거예요.

심술을 부려 혼날까봐 걱정하는 건이
↓
다락방의 탈을 쓰기로 한 건이
↓
탈을 쓰고 놀이를 한 건이
↓
다락방에서 나오는 건이

2. 쓰게 되는 탈에 따라 거기에 걸맞은 역할을 해 보이는 놀이예요.
3. 가장 많이 나타난 인물이 중심 인물입니다.
4. ㉠ 다음에 이어지는 내용을 보면 그 이유를 알 수 있어요.
5. 건이가 탈을 쓰고 놀이를 즐기고 있는 곳을 찾아 보세요.
6. 언제, 어디서, 또 누구 앞에서 하는지에 따라 결과가 달라질 수 있어요.
7. 건이가 써본 탈의 순서를 따라가면서 정리하면 되어요.

어휘력 키우기

(1) 반달눈썹이어서 두 눈과 잘 어울리겠죠.
(2) 금방 튀어나올 것 같은 눈이에요.
(3) 두 눈 위에 흰 점이 있는 개를 이르는 이름.

넓히기 (1) 집에서 가장 큰 문은 '대문'이라고 해요.
(2) 우리 민족의 전통 가면을 특별히 '탈'이라고 불러요.

10 바람과 빈병

본문 48쪽

1 쓸쓸함 2 바람, 빈병 3 ③ 4 ⑤
5 ① 6 ③ 7 ① 공감, ② 함께

어휘력 키우기

뜻 (1) ㉡ (2) ㉠
다지기 (1) 숲속 (2) 바람
넓히기 (1) 기분 (2) 공감

1. 바람이 빈병을 보고 "쓸쓸할 거야."라고 말한 것은, 바람 자신도 빈병과 함께 쓸쓸함을 느끼기 때문이에요. 둘이 서로 공감을 한 거지요.
2. 서로 같은 느낌을 함께 가지는 둘이 시의 글감이에요.
3. 첫 번째 주어는 '바람'이지요. 바람때문에 기분이 좋아지는 것이 두 번째 주어이죠. '바람이 빈 병이 쓸쓸해 보여 놀아 주려고 병 속으로 들어갔다.'

'병은 바람이 들어온 것이 기뻐서 휘파람을 불었다.'는 내용이지요.
4. 시에 배어있는 뜻을 새기고, 느낌을 떠올리도록 하기 위해 줄과 연을 나누고 천천히 읽도록 해요.
5. 빈병이 낸 소리예요. 사람 소리처럼 흉내를 내었죠.
6. 바람과 빈병은 사람이 아닌데 사람처럼 말하고 행동하여 우리의 상식을 벗어나서 표현되었어요.
7. 바람이 빈병의 처지를 불쌍하다고 여김[공감]으로써 바람과 빈병은 서로 어울리게 되지요.

어휘력 키우기

(1) '나무가 우거져서 숲이 깊다'에서 숲속이 되겠네요.
(2) 서늘한 공기의 흐름이니 '바람'이네요.

넓히기 (1) '답답한' 마음의 상태라면 '기분'이지요.
(2) 나의 이야기에 '고개를 끄덕이며'를 보면, 어머니도 그렇다고 느끼시는 거죠. 그래서 '공감'인 거죠.

어휘·어법 총정리 2주차

본문 52쪽

어휘 1 교류하다 2 실감 3 참고하다
4 갈고리 5 삼키다 6 토론회
7 다락방 8 인내하다

어법 1 되록되록 2 드러났다 3 길다란
4 벌레 5 갉아 6 담그지
7 어두워서 8 점잔

3주차

11 높임말 바르게 사용하기

본문 54쪽

1 ④ 2 높임말 3 4 4 ④
5 ① 6 할아버지
7 ① 진지, ② 좋습니다, ③ 께서, ④ 시

어휘력 키우기

뜻 (1) ㉡ (2) ㉢ (3) ㉠
다지기 (1) 예사말 (2) 높임말 (3) 낮춤말
넓히기 (1) 공경 (2) 예의

1. 높임말을 '쓰지 않아야 할 때'는 글에 나오지 않았어요.

우리말의 높임말(1문단)
↓
높임의 여러 가지 방법(2문단)
↓
높임말을 쓰면 좋은점(3문단)

2. 글에 여러 번 반복해서 나온 말이 중심 낱말이죠.
3. 둘째 문단에서 예를 들어가면서 자세히 늘어놓았어요. 순서대로 세어보세요. ① 높임의 뜻이 있는 낱말을 사용하는 방법 ② 문장을 '-습니다'로 높이는 방법 ③ '-께', '-께서'를 붙여 높이는 방법 ④ '-시-'를 붙여서 높이는 방법
4. ④ 높임말은 '일을 하시다.'처럼 일을 하는 사람을 높이기도 하고, '책을 드리다.'처럼 행동을 받는 사람을 높이기도 해요.
   ② 말씀, 진지, 뵙다 등.
   ③ 처음 만났거나, 여러 사람 앞에서 발표를 할 때.
5. '할아버지'에 '-께'를 붙이고, 높임의 뜻이 있는 낱말 '드리다'를 선택하여 높임을 나타내고 있어요.
6. 세배를 '하다'가 아니라, '드리다'라고 했어요. 이렇게 따져보면 세배를 받는 '할아버지'를 높이고 있죠.
7. 둘째 문단을 살펴 가면서 빈칸을 채울 수 있어요.

어휘력 키우기

다지기 (1) 어른을 높이거나 자신을 낮추는 말이 아닌 보통 말을 쓰면 공손하지 못하다고 꾸중하시겠지요.
(2) '들다', '잡수다'는 모두 음식을 먹는 사람을 높이는 말이네요.
(3) '저희'가 들어갔으니 일단 '낮춤말'이죠. 그런데 저희 민족, 저희 나라라는 표현은 사용해서는 안 될 말이에요. 어법을 벗어난 표현이지요.

넓히기 (1) 받들어 모시는 것.
(2) 존경의 뜻을 표하는 말투나 행동.

12 울타리의 못 자국

본문 58쪽

1 ① 2 울타리의 못 자국 3 ④
4 ② 5 ② 6 ③
7 ① 상처, ② 욕

어휘력 키우기

뜻 (1) ㉡ (2) ㉠
다지기 (1) 박이다 (2) 박히다 (3) 박이다
넓히기 (1) 습관 (2) 훈화

1. 나쁜 말이 주변에 끼치는 영향이 일부 실려 있기는 해요. 그건 일부 내용이고, 전체 내용은 좋은 말하는 습관을 키워야 한다는 것이에요.

훈화를 들려주려 함
↓
못을 박게 하여 아이의 습관을 고치려 함 → 못을 뽑도록 하여 가르침을 주려 함(이야기 내용)
↓
친구에게 상처가 되는 말을 하지 말기를 부탁함
↓
말을 조심하기를 바람

2. 글의 첫 문장에 나와요.
3. ① 욕과 같이 '듣기에 좋지 않은 말'이라고 했죠.
   ②, ③ 욕과 같은 말은 상대의 마음을 다치게 하고, 자신에게 화살로 돌아온다고 하네요. ④ 본문에 없는 내용이에요. ⑤ 욕은 친구의 마음에 상처를 준다고 나왔어요.
4. ㉠의 앞에 있는 '한 번 박힌 못은 쉽게 뽑히지 않지?'에 자연스럽게 이어질 말을 찾아봐요.
5. '입으로 뱉은 말을 주워 담는다'가 어떤 뜻인지 새겨봐요.
6. 이야기 다음에 이어진 내용을 선생님의 가르침이에요.
   ① 서로 이야기를 주고 받음 ③ 교훈이나 가르치는 말 ④ 재미있게 꾸며낸 이야기 ⑤ 실제로 있었던 이야기
7. 선생님이 실천하기를 바란 말씀은 끝에서 두 번째 문단에 두 항목으로 잘 나와 있네요.

어휘력 키우기

다지기 (1) '굳은살이 생기다'라는 뜻일 때는 '박이다'이죠.
(2) '물건이 어디에 꽂히다'라는 뜻일 때는 '박히다'이죠.
(3) 등산하는 '버릇이 깊이 배다.'는 '박이다'이죠.

넓히기 (1) '버릇'의 뜻을 지니고 있는 한자어를 찾아봐요.
(2) 귀담아 들을 만한 말씀을 뜻하는 한자어.

13 기후와 생활

본문 62쪽

1 ① 2 생활 3 ④ 4 ①
5 ③ 6 ① 낮은, ② 높은
7 ① 옷, ② 음식, ③ 집

어휘력 키우기

뜻 (1) © (2) ㉠ (3) ㉡
다지기 (1) 기후 (2) 성기다 (3) 투막집
넓히기 (1) 한복 (2) 음식

1. 기후가 우리의 옷, 음식, 집과 같은 생활에 어떤 영향을 끼치는지, 예를 들어가면서 자세히 설명한 글이에요.

2. 글의 중심 내용을 떠올려보면 빈칸에 들어갈 낱말이 있을 거예요.
(가) 기후에 따라 다른 생활모습을 알아보겠다함
(나) 기후에 따라 달라지는 옷을 설명
(다) 기후에 따라 달랐던 한복을 설명
(라) 기후에 따라 달라지는 음식을 설명
(마) 기후에 따라 달라지는 집을 설명
(바) 생활이 기후와 관계 깊다며 전체 내용을 간추림

3. 예를 들어가면서 자세히 설명하고 있는 문단들을 모아 보세요.
(가)-머리, (나)~(마)-몸통, (바)-맺음

4. '나'의 첫 문장의 내용을 그 아래에서 예를 들어가면서 설명하여 이해를 돕고 있네요.

5. '이처럼', '요컨대' 등을 쓰면, 앞에 놓인 내용을 요약할 수 있어요.

6. 소금을 더 많이 넣은 음식이 더욱 짠 음식이 되지요. 즉 기온이 상대적으로 낮은 북쪽 지방에 비하여 기온이 상대적으로 높은 남쪽 지방의 음식이 조금 더 짜게 되는 것이지요.

7. 글의 중심 내용을 다시 한 번 간추려 봐요.

어휘력 키우기

다지기 (1) 예전과 달리 최근에 우리나라도 많이 기온이 올라가서 더운 나라의 과일이 생산된다고 합니다.
(2) 삼베는 조직이 듬성듬성하다는 뜻.
(3) 울릉도 전통가옥은 통나무로 지은 투막집이조.

넓히기 (1) '입었다'와 어울리는 한자어.
(2) '먹을 것'을 일컫는 한자어.

14 반말 왕자님

본문 66쪽

1 ③ 2 반말 3 ③
4 ㉠ 반갑게, ㉡ 얼떨떨한 5 범수, 엄마
6 아들 오늘도 운동 열심히 해라.(범수야, 오늘도 운동 열심히 해.) 7 ① 높임말, ② 하녀

어휘력 키우기

뜻 (1) © (2) ㉠ (3) ㉡
다지기 (1) 수군거렸다 (2) 벌름거렸다 (3) 깨작거렸다
넓히기 (1) 표정 (2) 대답

1. 어른에게 반말하는 범수가 낭패를 당하는 장면이 이야기의 주요 장면이에요. 이 장면에서 어떤 깨달음을 얻을 수 있을까요?

반말하는 범수와 높임말 하는 누나
↓
높임말을 들어도 기쁘지 않은 범수
↓
높임말 때문에 창피를 당한 범수
↓
엄마가 하녀라는 말에 화가 난 범수

2. 범수를 어떻게 불러야 알맞을지 생각해봐요.

3. 할머니 역시 범수의 버릇을 고치기 위해 일부러 높임말을 쓰고, 꾸중은 하지 않아요.

4. ㉠, ㉡의 앞과 뒤에 놓인 말을 견주어가면서 들어갈 알맞은 낱말을 떠올려봐요.

5. 범수가 주인공이고, 범수의 버릇을 고치려 하는 엄마가 자주 등장해요.

6. 보통의 집이라면 엄마가 아들에게 반말을 하겠죠.

7. 이야기의 줄거리를 떠올려가면서 들어갈 낱말을 찾아보세요.

어휘력 키우기

다지기 (1) 겁이 나서 교실 구석으로 가서 낮은 목소리로 자꾸 가만가만 이야기를 했겠죠.
(2) '돼지 코'이니까 '벌름거렸다'가 어울리네요.
(3) '배가 부르니' 밥을 받아놓고 '깨작거렸다'가 어울리네요.

넓히기 (1) 사람의 마음이 얼굴로 드러난 것이 '표정'이라고 하지요.
(2) 누군가 나를 부르면 나는 '대답'을 하죠. 질문을 하면 그 질문에 맞는 '대답'을 하죠

15 도토리나무

본문 70쪽

1 ④ 2 도토리나무 3 ①
4 ① 도토리, ② 다람쥐 5 ② 6 ①
7 ① 땅바닥, ② 도토리, ③ 나뭇잎

어휘력 키우기

뜻 (1) ㉡ (2) ㉠
다지기 (1) 나뭇잎 (2) 땅바닥
넓히기 (1) 지시 (2) 교육

1. 도토리나무는 자신이 떨어뜨린 도토리 한 알조차 찾지 못하는 다람쥐를 안타까워하고 있어요.
2. 시에서 초점을 맞추어 드러내려고 한 것이 무엇인지 찾아봐요.
3. 도토리나무가 사람처럼 다람쥐에게 사랑의 마음을 보내려고 해요.
4. 사랑하는 마음을 실어 보내는 물건과, 사랑을 보내려는 상대를 찾아봐요.
5. 3행씩 한 연을 이루었고, 이런 연이 셋 모여서 한 작품이 되었어요.
6. 시에서 중심을 이룬 것을 찾아 그것을 그림의 중심에 놓아야겠죠.
7. 1연, 2연, 3연에 순서대로 나타난 내용을 다시 한 번 간추려봐요.

어휘력 키우기

다지기 (1) '나뭇잎'은 '나무의 잎'으로 새기니 '나무'와 '잎'의 뜻이 모두 드러났죠.
(2) '땅바닥'은 '땅의 거죽'으로 새기니 '땅'의 뜻은 잘 드러났지만, '바닥'의 뜻은 온전하게 드러나지 않았어요.

넓히기 (1) '가리키다'의 뜻일 때는 한자어로 '지시하다'예요.
(2) '가르치다'의 뜻일 때는 한자어로 '교육하다'예요.

어휘·어법 총정리 3주차

본문 74쪽

어휘 1 오래도록 2 거칠다
3 내키다 4 실천하다
5 아랫사람 6 귀찮다
7 빈정대다 8 하수인

어법 1 갖추다 2 덧붙였다
3 자국 4 굳은살
5 다치게 6 옥수숫대
7 떡볶이 8 들이도록

4주차

16 왜 띄어 써야 돼?

본문 76쪽

1 잘 띄어 써야 2 띄어쓰기 3 ①
4 ② 5 ③ 6 거울은V닦으면V닦을수록V깨끗해지고,V글은V다듬어V고치면V고칠수록V좋아집니다.
7 ① 띄어쓰기, ② 중요성

어휘력 키우기

뜻 (1) ㉡ (2) ㉠
 (1) 배낭 (2) 가방
 (1) 연필 (2) 공책

1. 글쓴이가 '띄어쓰기를 잘 해야겠다.'라는 생각을 드러낸 문장을 찾아 보세요.

띄어쓰기를 잘못하여 생긴 일 1
↓
띄어쓰기를 잘못하여 생긴 일 2

⇨ 띄어쓰기의 중요성

2. 무엇 때문에 아빠 엄마와 '나' 사이에 어처구니없는 일이 생겼나요?
3. 글쓴이 '나'가 띄어쓰기를 잘못하여 아빠 엄마가 어려운 지경에 빠졌어요.
4. 띄어쓰기를 제대로 한 문장이 들어가야겠지요.
5. 두 문장 모두 '가'를 앞말에 붙여 쓸 줄 몰라서 저지른 잘못을 보여주어요.
6. 우리는 아직 단어, 조사, 어미, 접미사 등의 문법을 전혀 모르기 때문에 띄어쓰기를 바르게 하기 어려워요. 여러분 스스로 읽어봐서 여기서 띄우는 것 같다 싶은 자리에 띄어쓰기를 해 보고 해답과 견주어 보세요.
7. 띄어쓰기의 중요성을 강조한 내용이 중심에 놓인 글이에요.

어휘력 키우기

 (1) 물건을 넣어 등에 맨다고 했으니까 '배낭'이에요.
(2) 물건을 넣어 손으로 든다고 했으니 '가방'이에요.

넓히기 (1) 손에 쥐고 글씨를 쓰는 도구.
(2) '글씨를 쓰거나 그림을 그리는 것'이니 공책이죠.

17 장신구, 노리개

본문 80쪽

1 장신구, 생활상 2 노리개, 쓰임
3 ② 4 ③ 5 ⑤ 6 ⑤
7 ① 바늘집, ② 호신용

어휘력 키우기

뜻 (1) ㉠ (2) ㉡
다지기 (1) 쓰임 (2) 바람
넓히기 (1) 장신구 (2) 호신용

1. 마지막 문단에서 노리개가, '장식적인 의미(장신구)'를 뛰어넘어 생활상을 담고 있다고 하였어요.

글감 소개(노리개)(1문단)
↓
바늘집 노리개의 쓰임(2문단) → 은장도와 은젓가락을 단 노리개의 쓰임(3문단)
↓
생활상과 정성, 바람을 담고 있는 노리개(마지막)

2. 글에 알맞은 제목은 '노리개의 쓰임'.
3. '농사'라는 낱말이 글에는 아예 나오지 않아요.
   ① 첫 문장에 나와요.
   ③ 노리개인 '은장도'에 '일편단심'이라고 글씨를 새기기도 했다고 하죠.
   ④ '바늘집노리개'에 대해 언급했습니다.
   ⑤ 노리개는 '끈, 보석, 매듭, 술'로 이루어졌다고 했어요.
4. 노리개는 걸치는 물건이라고 볼 수 있으며, 옛날에 사용하다가 지금은 사용하지 않아요.
5. 글에서 '은장도' 다음에 나온 '은젓가락'이 독이 있는지 알 수 있도록 한다고 했지요.
6. 사전 없이 앞에 놓인 글을 두고 글 안에서 새로 보는 낱말의 뜻을 짐작해 볼 수 있어요. 그 낱말의 앞과 뒤에 놓인 말과 연결지어 가면서 뜻을 떠올려 보는 방법이에요.
   '가풍'은 '한집안에 대대로 이어오는 풍습이나 범절'을 말해요. 앞, 뒤의 '자손대대로 물려주어', '전하기도'를 보면 가풍의 뜻을 떠올릴 수 있죠.
7. 표의 오른쪽 또는 왼쪽을 보아가면서 글의 내용과 견주어 보세요.

어휘력 키우기

다지기 (1) '쓰임'은 '쓰이다'에서 온 말입니다. (쓰이다 → 사용되다, 이용되다.)
'쓰기'는 '쓰다'에서 온 말입니다. (쓰다 → 이용하다.)
(2) '바람'은 '바라다'에서 비롯했기 때문에 '바램'이라고 써서는 틀린 거예요.

넓히기 (1) 목걸이는 몸을 꾸미는 물건이니까 장신구입니다.
(2) 은장도, 작은 칼 모두 몸을 보호하는 물건이에요.

18 동물을 모방한 기술

본문 84쪽

1 생김새, 특징 2 로봇 3 ④
4 ③ 5 ① 움직임, ② 발바닥 6 ④
7 ① 갈매기, ② 도마뱀붙이

어휘력 키우기

뜻 (1) ㉡ (2) ㉠
다지기 (1) 작다, 크다 (2) 많다, 적다
넓히기 (1) 활동 (2) 내부

1. 글의 첫 문장을 잘 읽어보세요.

첫째 문단 - 동물의 생김새와 특징을 이용하여 만든 로봇 1
둘째 문단 - 동물의 생김새와 특징을 이용하여 만든 로봇 2
셋째 문단 - 동물의 생김새와 특징을 이용하여 만든 로봇 3

2. 글 전체가 동물의 생김새와 특징을 모방하여 만든 로봇을 설명하고 있어요.
3. '스틱카봇'은 도마뱀붙이를 본뜬 로봇이에요. 개를 본뜬 것은 '빅독 로봇'입니다.
4. '바닷속을 걸어 다니며'와 '내부를 들여다보는'이라는 구절과 연결시켜 순우리말로 고칠 수 있어요.
5. 표에 나온 말과 셋째 문단의 낱말을 서로 짝을 맞추어봐요.
6. 동물을 본떠 만든 '로봇의 모양과 특징'에 대해 알려주기 위해 쓴 글이에요. 이와 같은 설명하는 글은 읽는 이가 새로운 사실을 잘 이해하도록 쓰는 글이지요.
7. 글의 순서를 따라가면서 빠진 동물의 이름을 찾아봐요.

어휘력 키우기

(1) 엄마 손보다 내 손은 '작다', 내 손보다 아빠 손이 '크다'
(2) '많다 - 적다'를 구별하여 써야 해요. 서울엔 사람들이 아주 많지요. 그래서 서울엔 사람이 '많다'를 씁니다. '많다'의 반대말은 '적다'입니다.

넓히기 (1) '멈추고'로 이으려면 '활동'을 골라야죠.
(2) '통유리 너머로 훤히 주방 □□가 보인다'는 뜻이므로 '내부'라고 써야죠.

19 꼴찌라도 괜찮아

본문 88쪽

1 최선 2 운동회 3 ①

4 ⑤ 5 ⑤ 6 ③

7 ① 이어달리기, ② 이어달리기, ③ 이호, ④ 기찬

어휘력 키우기

뜻 (1) ㉡ (2) ㉠

다지기 (1) 뒤쳐져서 (2) 뒤처져서

넓히기 (1) 청군 (2) 출발

1. 이야기가 전하고자 한 깨달음 중의 하나로 '최선을 다하는 삶의 아름다움'을 떠올려 볼 수 있어요.

운동회가 싫은 기찬이
↓
이어달리기 제비를 뽑고 울상이 된 기찬이
↓
힘껏 달리는 기찬과 친구들의 응원
↓
졌지만 아이들과 웃으며 어울린 기찬이

2. 이야기가 언제 어디에서 있었던 일인지 살펴봐요.
3. 주인공 기찬이는 운동에 자신이 없어서 '운동회가 싫다.'고 하였습니다. 하지만 마지막까지 최선을 다해 뛰는 모습에서 끈기가 있음을 알 수 있죠.
4. 줄거리를 다시 한 번 살펴보면, 이호가 이어달리기에서 자신의 차례가 왔는데 갑자기 사라졌어요.

   이때부터 친구들이 기찬이를 마지막 차례로 착각해서 사건이 엉뚱한 방향으로 흘러간 거예요.
5. 이야기를 전하는 사람은 등장하는 모든 인물과 벌어지고 있는 사건에 대해 잘 알고 있어요.

   ① 기찬이는 운동을 싫어하는 성격이라고 알고 있어요.

   ② 사건을 이야기하는 사람이 전하고 있어요.

   ③, ④ 일어날 사건을 잘 알고 있지만 인물에 대해서도 잘 알고 있지요.
6. 친구들과 기찬이 한바탕 웃으면서 잘 어울리는 것으로 보아 '기찬아, 최선을 다했으니까 꼴찌라도 괜찮아!'라고 말했을 것 같아요.
7. 제비뽑기에서 무엇을 뽑았죠? 사라진 사람은 누구예요? 끝까지 달린 사람은 누구죠?

어휘력 키우기

(1) 바람에 현수막이 뒤집혀서 젖혀졌다.

(2) 시대에 뒤떨어져 밀려난 기술.

넓히기 (1) 운동회에서는 보통 청군과 백군으로 편을 나누어요.

(2) '늦었더라도'와 어울리는 낱말.

20 발가락

본문 92쪽

1 ⑤ 2 발가락

3 ① 사람, ② 흉내, ③ 반복, ④ 사투리 4 ⑤

5 ③ 6 ④ 7 ① 밝은, ② 캄캄한

어휘력 키우기

뜻 (1) ㉢ (2) ㉠ (3) ㉡

다지기 (1) 손가락 (2) 발가락 (3) 젓가락

넓히기 (1) 세상 (2) 양말

1. 구멍 뚫린 양말을 기워서 신을 만큼 가난하게 살지만, 웃음을 잃지 않으려는 모습을 보여주어요.
2. 이야기라면 주인공이라 할 만큼 초점을 맞추어 강조한 것이 중심 글감이죠.
3. 표의 오른쪽을 보고 어울리는 낱말을 떠올려봐요.
4. 뚫린 양말의 틈 사이로 발가락들이 나온 모습을 표현한 구절이네요. '비어져 나오다'는 '새어 나오다'란 뜻이에요.
5. 1~2연은 2행, 3~4행은 3행, 5연은 4행으로 되어 있어요.
6. 가난하게 살면 대개 고달파하고, 실망하기 마련이지만, 이 시에서 말하는 사람은 양말이 뚫어져서 발가락이 나올 만큼 가난하게 살면서도 웃음을 잃지 않으려 하네요.
7. 1~4연은 갇혔다가 세상으로 나온 사람처럼 밝은 느낌의 발가락을 보여주고, 5연은 기운 양말 속의 발가락을 캄캄한 세상에 갇혔다고 표현하고 있어요.

어휘력 키우기

(1) 둘째손가락은 손가락의 일부이죠.

(2) '걸어오느라'와 어울려야 해요.

(3) 우리나라 사람들은 젓가락질 사용이 일반적이라 손재주가 좋다고 알려져 있어요.

넓히기 (1) '행복을 누릴'과 내용이 어울려야 해요.

(2) '신는' 것이니 양말이죠. '양말'은 한자어예요.

어휘·어법 총정리 4주차

본문 96쪽

어휘 1 몸치장 2 노리개 3 노려보다

4 곤란하다 5 탐사하다 6 커다랗다

7 물끄러미 8 착각

어법 1 띄어쓰기 2 쫓도록 3 바람

4 돌멩이 5 안 돼 6 뒤처졌다

7 역할 8 양말

5주차

21 부탁하는 글

본문 98쪽

1 ① 체육, 피구, ② 교실, 뛰지 2 까닭(이유)

3 ③ 4 ③ 5 ③ 6 ④

7 ① 글쓴이, ② 까닭(이유), ③ 끝인사

어휘력 키우기

뜻 (1) ㉡ (2) ㉠

다지기 (1) 튀었다 (2) 뛰었다

넓히기 (1) 행복 (2) 부탁

1. (가)에서는 체육 시간에 피구를 하면 좋겠다고 했고, (나)에서는 교실에서 뛰지 말 것을 부탁하였어요.

2. 부탁하는 글에서는 부탁하는 까닭을 구체적으로 밝혀야 부탁을 쉽게 받아들일 수 있도록 할 수 있어요.

3. (가)에서 부탁하는 내용을 담은 문장은 '다음 체육 시간에는 피구를 하면 좋겠어요.'예요. 그 다음에 이어지는 긴 문장이 부탁하는 까닭을 밝힌 문장이에요.

4. 까닭을 밝히면서 부탁하는 글은 상대방을 설득하여 생각을 바꾸도록 하기 위해 써요. 두 글 다 읽는 사람에게 자신의 생각을 말하고, 그렇게 말한 까닭을 설명해서 상대방을 설득하려고 해요.

5. 교실에서 뛰면 다칠 수도 있고, 다치지 않더라고 다른 친구들이 책 읽는 데 방해가 된다고 하네요.

6. 문제를 불러일으킨 사람은 '부탁'이라는 내용과 아무런 관계가 없어요.

7. (가)의 글과 표를 견주어 보아서 빈칸에 들어갈 말을 떠올려봐요.

어휘력 키우기

다지기 (1) 공이 공중으로 높이 '솟아오르다'.

(2) 늦었으니 발을 빨리 움직여 나아가야겠죠.

넓히기 (1) 복된 좋은 운수.

(2) 일을 해달라고 요청하거나 맡기는 것.

22 너도나도 숟갈 들고 어서 오느라

본문 102쪽

1 음식 2 묵, 떡 3 ⑤ 4 ②

5 ③ 6 무늬

7 ① 청포묵, ② 찌는, ③ 지지는

어휘력 키우기

뜻 (1) ㉡ (2) ㉠

다지기 (1) 물러서 (2) 싱거워

넓히기 (1) 독특 (2) 다양

1. 우리나라 전통 음식 문화를 설명한 글이에요.

우리나라의 음식 묵(1문단) → 수수한 맛의 묵(2문단) → 묵을 만드는 방법(3문단)
↓
우리 민족의 고유 음식 떡(4문단) → 만드는 방법이 다른 여러 가지 떡(5문단) → 떡살에 새겨져 있는 의미(6문단)

2. 앞에서는 묵, 뒤에서는 떡을 설명했어요.

3. '전해오는 이야기'는 글에서 나오지 않아요. 이야기라면 사람이 등장하고 활동하는 장면이 있어야 해요.

① 첫 문장에서 묵의 성질을 말하고 있어요.

② 음식(묵, 떡)을 종류대로 설명했어요.

③ 묵과 떡의 종류와 만드는 방법을 설명했어요.

④ '우리 민족에게 떡은 매우 소중한 음식이다.'라며 지역에 따른 음식을 소개했어요.

4. 글 첫머리의 둘째, 셋째 문장에 잘 표현되었어요.

'묵은 무르지만 죽은 아니에요.~ 낄 수가 없지요.'를 간추리면 '묵은 죽도 밥도 아니다.'가 되어요, '두부를 닮았다.'는 것은 성질을 말하는 것이 아니고 생긴 모양을 설명하는 것입니다.

5. ㉠의 뒷문장에서 떡은 곡식을 재료로 하여 만든다고 했어요.

'농사를 짓고 살아온 우리 민족'과 '떡'을 함께 생각해봐요.

6. '떡살'을 자세히 설명한 마지막 문단에서 찾아 보세요. ㉡의 뒷문장에서 '떡살은 떡을 눌러 갖가지 무늬를 찍어내는 판'이라고 하네요.

7. 글에서 묵의 종류, 떡의 종류가 무엇인지 정리해 보세요.

어휘력 키우기

다지기 (1) 나무가 '단단하지 않고 여려서'.

(2) '맹물(아무것도 타지 않은 물)처럼'이라고 하고, '소금을 더 넣어 먹었다'고 하니까 '음식의 간이 보통 정도에 이르지 못하고 약하다'인 '싱겁다'를 씁니다.

넓히기 (1) 전혀 본 적이 없을 만큼과 어울리려면 '특별하게 다름'을 뜻하는 말을 골라야죠.

(2) 종류가 여러 가지이니까 '다양'하다고 봐야죠.

23 패트병으로 옷을 만든다

본문 106쪽

1 재활용　2 ④　3 ③　4 ①
5 (다)　6 ⑤　7 ① 섬유, ② 페트병, ③ 방법(과정), ④ 장점(이점, 좋은 점)

어휘력 키우기

뜻 (1) ㉢　(2) ㉡　(3) ㉠
다지기 (1) 녹이다　(2) 만들다　(3) 나누다
넓히기 (1) 합성　(2) 천연

1. 버리는 물건을 다시 살려 새로운 생활 도구를 만드는 것을 '재활용'이라고 해요.

2. 페트병으로 옷을 만드는 방법, 만든 사례, 그런 옷의 장점 등을 설명하였어요. (가)에서는 옷을 만드는 여러 물질을, (나)에서는 합성섬유에 대해 말하다가, '그런데' 이후부터 (다)~(라)에 이르기까지 계속 페트병으로 만든 옷에 대해 설명하고 있어요.

3. 2010년에 남아공 월드컵 때 9개국에서 페트병으로 만든 옷을 입었다는 내용만 있어요.
① 목화, 동물의 털, 누에고치로 옷을 만들어요.
② 석유에서 나온 원료인 합성섬유로 옷을 만들어요.
④ (다)에서 잘 설명했어요.
⑤ 페트병을 재활용한 유니폼을 입었다고 했어요.

4. '땀이 빨리 마른다'라는 내용과 잘 어울리는 낱말을 골라야 해요. '흡착'은 '어떤 물질이 달라 붙음'을 뜻해요.

5. 페트병으로 옷을 만드는 방법을 순서대로 설명한 문단이 있네요.

6. (가)에서 면섬유(목화), 모섬유(양털), 견섬유(누에고치)는 '천연 섬유'라고 했습니다. 그래서 ①~⑤ 가운데 성격이 다른 것은 ⑤가 됩니다. 페트병의 재료는 폴리에틸렌입니다. 이것은 석유로부터 얻습니다. 그러니까 페트병으로 만든 섬유도 '합성 섬유'이지요.

7. 칸의 수에 맞추어 들어갈 낱말을 떠올려봐요.

어휘력 키우기

다지기 (1) 뜨거운 우유에 코코아 가루를 풀어져 섞이게 하다.
(2) 규칙을 새로이 정하다.
(3) 오순도순 함께 하니까 정을 '나누다'

넓히기 (1) 영화를 찍은 실제 장면과 컴퓨터로 만든 장면을 합쳐 하나를 이룸.
(2) 어떤 첨가물도 넣지 않았으니까 자연 상태의 원액 '천연'

24 좁쌀 한 톨로 장가 든 총각

본문 110쪽

1 사건, 반복　2 ① 좁쌀 한 톨, ② 정승 딸　3 ⑤
4 ③　5 ①　6 호박
7 ① 길, ② 소중, ③ 없어, ④ 대신

어휘력 키우기

뜻 (1) ㉡　(2) ㉢　(3) ㉠
다지기 (1) 묵어가다　(2) 머무르다　(3) 주저앉다
넓히기 (1) 주막　(2) 재산

1. 돌쇠가 가는 곳마다 예상하지 못한 사건이 반복하여 일어나고 돌쇠가 지닌 것보다 더 크고 좋은 것으로 대신 받게 됩니다.

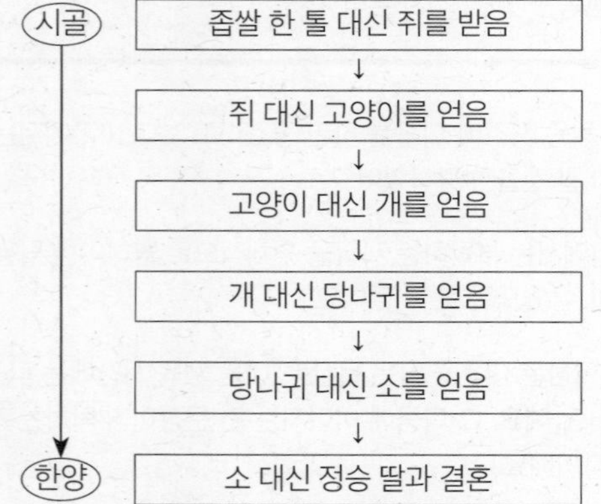

2. 이야기의 처음과 끝을 다시 살피면서 빈칸에 들어갈 말을 생각해 보세요.

3. 소중한 물건을 잃어버리고도 대신할 수 있는 물건을 받아 길을 떠날 만큼 이리저리 돌려 생각할 줄 알아요.

4. 많은 문장의 끝을 보면, 듣는 사람을 직접 마주하고 말하는 것 같은 말투예요.

5. 시골에서 시작하여 여러 고을을 거쳐 한양에 닿았어요.

6. 뜻밖에 좋은 물건을 얻거나 좋은 일이 생김을 이르는 속담이에요. 좁쌀 한 톨로 시작하여 정승딸에게 장가들게 되었으니 횡재하였다 할 수 있지요.

7. 이런 짜임새로 된 작은 이야기가 여섯 번 반복하면서 전체 이야기를 이루어요.

어휘력 키우기

다지기 (1) 머물러서 자고 가다. - 묵어가다
(2) 도중에 멈추었어요. - 머무르다
(3) 너무 놀라서 그대로 힘없이 앉다.

넓히기 (1) 상인들이 묵어갈 수 있는 장소이니까 '주막'.
(2) 평생을 벌었으니 '재산'.

25 동주의 개

본문 114쪽

1 ③　2 동주, 개　3 ③　4 ④
5 ⑤　6 (다), (가), (나), (라)　7 센둥이

어휘력 키우기

뜻 (1) ㉡　(2) ㉠
다지기 (1) 검둥이　(2) 센둥이
넓히기 (1) 교실　(2) 학교

1. 동주와 센둥이 사이의 사랑이 중심 내용이에요.
2. '동주'와 '개'가 들어가면 되겠네요.
3. 둘이 늘 함께 있다시피 하는 곳은 '교실'이죠.
4. 센둥이라는 개가 사람처럼 그려졌어요.
5. 친구들도 센둥이가 사랑스러워 스스로 밥을 나눠줘요.
 ① 1연에 있어요.
 ② 2연에 나와요.
 ③ 2연에 있어요.
 ④ 3연에 학교 파한 동주와 함께 가는 모습입니다.
6. (다) 공부 마칠 때까지/그곳에서 기다립니다. (가) 부끄러움 많은 동주가/ 교문 밖으로 아무리 쫓아 보내려 해도 (나) 학교 파한 동주보다 앞장서서 집으로 돌아갈 때는 (라) 동주가 엄마처럼 웃으며 뒤따라 갑니다.
7. 시의 처음부터 끝까지 동주와 센둥이가 함께 나와요.

어휘력 키우기

다지기 (1) 털빛이 검으니까 '검둥이'.
 (2) 흰 강아지니까 '센둥이'
넓히기 (1) 아이들이 함께 공부하는 곳은 '교실'.
 (2) 정문으로 들어서는 곳은 '학교'.

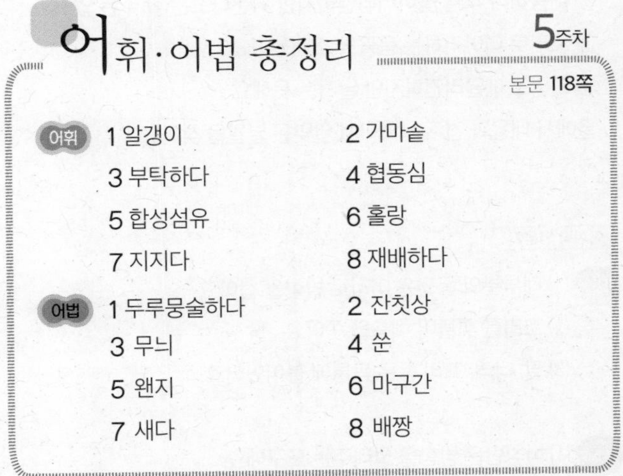

어휘·어법 총정리　5주차

본문 118쪽

어휘　1 알갱이　2 가마솥
　3 부탁하다　4 협동심
　5 합성섬유　6 홀랑
　7 지지다　8 재배하다

어법　1 두루뭉술하다　2 잔칫상
　3 무늬　4 숟
　5 왠지　6 마구간
　7 새다　8 배짱

6주차

26 갯벌에 뭐가 사나 볼래요

본문 120쪽

1 ④　2 갯벌　3 ⑤　4 ③
5 앞장불, 뒷장불　6 ②
7 (나), (라), (바), (사)

어휘력 키우기

뜻 (1) ㉢　(2) ㉠　(3) ㉡
다지기 (1) 갯벌　(2) 갯일　(3) 갯가
넓히기 (1) 간척지　(2) 간석지

1. 갯벌에서 사람과 여러 가지 생물들이 살아가는 모습을 그렸어요.
2. 삶의 터전이 '갯벌'이에요.
3. '굴도 따고 게도 잡고 바지락도 캐고 파래도 뜯지요.'라고 했어요.
4. 질퍽거리며 놀았으니 '개펄'에서 논 것이죠.
5. '마루'에 '장불'이 합쳐서 한 낱말이 되었어요.
6. 배경이 먼저 소개되고 인물이 등장하여 활동하는 갈래는 '이야기'예요.
 ① 느낌을 노래하는 글
 ② 인물, 배경, 사건(이야기)이 있는 글
 ③ 모르는 사실을 이해하기 쉽게 알려주는 글
 ④ 어떤 사실의 원인과 결과를 논리에 맞게 밝히는 글
 ⑤ 자기의 생각을 말하고 그 까닭을 밝혀 듣는 사람의 생각을 바꾸게 설득하려는 글

7.

	(나)	(라)	(바)	(사)
장소	갯벌	앞장불	마루장불	갯벌 → 갯가
활동	놀기, 갯일	맨발로 놀기	달아나기, 기어다니기	물 들어옴 → 갯가로 나가기

어휘력 키우기

다지기 (1) 썰물때 물 밖으로 드러나는 점토질의 평탄한 땅.
 (2) 개에서 하는 일은 '갯일'.
 (3) 밀물 때는 갯가로 뛰어 나와요.

넓히기 (1) 바다를 둘러막고 물을 빼내어 만든 땅은 '간척지'.
 (2) '갯벌'을 한자어로 '간석지'.

27 콩이 된장으로 변했어요

본문 124쪽

1 ①　2 된장　3 ③　4 ①
5 ④　6 ① 메주, ② 발효, ③ 소금물
7 ① 된장, ② 깨달음

어휘력 키우기

뜻 (1) ㉢　(2) ㉡　(3) ㉠
다지기 (1) 담그다　(2) 띄우다　(3) 삭히다
넓히기 (1) 과정　(2) 성분

1. 할머니 댁을 방문하여 이상한 냄새와 관계있는 된장찌개 이야기가 나와서 된장 담그는 방법을 알아보고 글을 쓰게 되었어요.

2. 메주 만들기는 된장 만들기의 과정으로 중간에 끼어있는 내용이에요.

> '(가) 글을 쓴 이유(된장을 만드는 과정을 알아봄) → (나) 메주 말리기 → (나) 메주 띄우기 → (나) 된장을 만드는 과정 → (다) 깨달은 점'으로 이루어진 글입니다.

3. 메주는 눅눅한 곳이 아니라 따뜻한 곳에서 말린다고 하였어요.
   ① (나)의 첫 문단에 나와요.
   ② (나)의 둘째 문단에 나와요.
   ④ (나)의 셋째 문단에 나와요.
   ⑤ (나)의 넷째 문단에 나와요.

4. 덩어리진 것을 일정한 모양으로 만드는 것을 '빚다'라고 하고, 발효가 되도록 묵혀 주는 것을 '띄우다'라고 해요. (나)의 두 번째 문단 끝에서 '띄울 준비를 합니다.' → 다음 문단에서 띄우는 과정을 설명하였고 → '이렇게 잘 띄운 ~'으로 이어집니다.

5. ㉠에 이어지는 문장을 보면 그 이유를 알 수 있어요.

6. (나)에 나온 낱말로 빈칸을 채울 수 있어요.

7. (가)는 글의 머리말이고, (다)는 맺음말이에요. (가)의 끝문장에서 '이렇게 맛있는 된장은 어떻게 만드는 것일까?'라고 하면서, 이 글의 글감을 드러냈죠. (다)에서 된장이 만들어지기까지 시간과 노력이 필요하다는 것을 '깨달았다'고 하네요.

어휘력 키우기

(1) 소금물이 담긴 항아리에 넣어 두었으니 '담그다'
(2) 바람이 잘 통하는 곳에 두었으니 '띄우다'
(3) 맛이 들게 저장하여 두었으니 '삭히다'

(1) 결과가 잘 나오기 위해 거쳐야 하는 '과정'이죠.
(2) 물질을 이루는 '성분'이죠.

28 살랑살랑 꼬리로 말해요

본문 128쪽

1 ①　2 꼬리　3 ③　4 ④
5 ②　6 ⑤
7 ① 늑대, ② 방향, ③ 캥거루, ④ 신호, ⑤ 젖소, ⑥ 나무

어휘력 키우기

뜻 (1) ㉡　(2) ㉢　(3) ㉠
다지기 (1) 머리　(2) 꼬리　(3) 몸통
넓히기 (1) 방향　(2) 관심

1. 각각의 동물에서 꼬리가 어떤 일을 하는지 설명한 글이에요.

> '꼬리로 이야기하는 동물들 → 꼬리로 방향을 잡는 동물들 → 꼬리로 똑바로 서는 동물들 → 꼬리로 위험 신호를 보내는 동물들 → 꼬리로 적을 쫓아버리는 동물들 → 꼬리를 잘 쓰는 주머니쥐'로 내용이 이어집니다.

2. '꼬리'가 중심 글감이에요.

3. 글의 첫머리에 묻고, 이어서 그 물음에 답을 자세히 펼쳐 보이고 있어요.

4. 다른 것은 다 설명했지만, 청솔모와 치타가 꼬리로 무슨 일을 하는지는 설명하지 않았어요.
   ① 개와 늑대는 꼬리로 이야기를 한다고 했어요.
   ② 하늘다람쥐는 날 때, 꼬리로 방향을 잡는다고 했어요.
   ③ 딱따구리는 꼬리를 아래로 향하고 몸을 세워 나무에 붙어 있다고 했어요.
   ⑤ 흰꼬리사슴이 도망칠 때 꼬리를 보면 도망치는 방향을 알 수 있다고 했어요.

5. 개는 꼬리로 이야기를 한다고 했어요. 나머지 넷은 꼬리로 해충이나 적을 쫓는다고 했어요.

6. 신호를 보낸다는 것은 서로 뜻을 주고받으며 소통한다는 뜻이에요.
   ① 꼬리로 똑바로 설 수 있다고 했어요.
   ② 해충이나 적을 쫓아버리긴하지만 싸운다고는 할 수는 없어요.
   ③ 꼬리로 이야기하는 동물을 소개했어요.
   ④ 꼬리로 매달리긴하지만 날지는 못해요.

7. 글에서 내용과 견주어 보아서 알맞은 낱말을 찾아요.

어휘력 키우기

(1) 대부분의 동물은 머리로 방향을 잡아요.
(2) 꼬리를 휘둘어 해충을 쫓아요.
(3) 팔, 다리, 꼬리 등은 몸통에 붙어있어요.

(1) 나침반은 방향을 알려주는 도구예요.
(2) 얼굴을 돌려버렸으니 '관심'이 없어요.

29 종이 봉지 공주

본문 132쪽

1 ③ 2 종이 봉지 3 ① 4 ④
5 ② 6 동굴 7 ① 아침, ② 동굴, ③ 결혼

어휘력 키우기

뜻 (1) ㉡ (2) ㉠ (3) ㉢
다지기 (1) 덩이 (2) 바퀴 (3) 군데
넓히기 (1) 동굴 (2) 봉지

1. 겉모습만 보고 사람을 평가하는 왕자와 이 때문에 결혼하지 않기로 한 공주의 행동에서 얻을 수 있는 교훈은 '겉모습만 보고 사람을 평가하는 어리석음에 빠져서는 안된다.'입니다.

왕자를 구하기 위해 용을 찾아 나선 공주
↓
공주를 만나주지 않는 용
↓
칭찬해서 용의 힘을 빼놓으려는 공주
↓
공주의 꾀에 넘어가 힘이 다 빠져버린 용
↓
자기를 구하러 온 공주의 겉모습만 보는 왕자에게 실망한 공주

2. 첫 문단을 읽고 용을 물리치러 갈 때 공주가 입은 옷을 생각해 보세요.
3. 아침부터 그날 해질 무렵까지 일어난 사건이에요.
4. 공주가 기껏 용으로부터 구해줬더니 고맙다는 말 대신, 공주의 외모를 지적하고 있어요.
5. 용에게 칭찬을 거듭하여 힘을 많이 써서 지치도록 하고 있어요.
6. 용이 살고 있는 굉장히 큰 문이 달려 있는 동굴 앞에서 용과 공주 사이의 일이 벌어지고 있어요.
7. 이야기가 시작된 시간, 용을 찾아간 곳, 공주의 결단을 글에서 살펴봐요.

어휘력 키우기

다지기 (1) 빵이니까 '덩이'
(2) 돌아야 할 운동장 '바퀴'
(3) 보아둔 둘 쯤의 학원이니까 '군데'

넓히기 (1) 탁 트인 광장과 반대의 장소로, 컴컴한 '동굴'이 어울리죠.
(2) 호떡을 넣어 준 '봉지'

30 딱 하루만 더 아프고 싶다

본문 136쪽

1 ⑤ 2 할머니, 나 3 ② 4 ③
5 ③ 6 (1) ㉡ (2) ㉢ (3) ㉠ 7 ①

어휘력 키우기

뜻 (1) ㉡ (2) ㉢ (3) ㉠
다지기 (1) 솜이불 (2) 손수레 (3) 물수건
넓히기 (1) 감기 (2) 폐지

1. 가난하지만 할머니와 '나'는 따뜻한 정을 나누어요.
2. 시에서 말하는 사람 '나', 나의 '할머니' 둘뿐이에요.
3. '내가 감기 몸살로 결석하자' 에서부터 모든 장면이 이어져요.
4. 시에 나타난 상황에 미루어 왜 이런 말을 했을지 짐작해봐요. 할머니가 해주는 병간호에서 사랑이 느껴져 '나'는 하루 더 아프고 싶을 정도인 거죠.
5. '나'는 감기몸살로 결석을 했고요. ①, ②, ④, ⑤는 '할머니'에 대한 내용이에요.
6. 시에 담긴 마음 - 할머니와 함께 있고 싶은 마음
시를 읽으면서 떠올린 장면 - 할머니께서 일도 못 나가시고 나를 돌봄
자신의 비슷한 경험 - 내가 아플 때 엄마가 내 이마에 손을 얹고 걱정한 일
7. 둘이만 살아가는 외로움이 우리에게도 느껴질 정도예요.

어휘력 키우기

다지기 (1) 날씨가 추워서 '솜이불'을 꺼냈죠.
(2) '손수레'가 자갈길에 올라가니 털컹이죠.
(3) 찜질하는 따뜻한 '물수건'.

넓히기 (1) 이불을 걷어차고 잤으니 '감기'에 걸리죠.
(2) 한데 거두어 갈 수 있게 물건을 모아두는 함을 '수거함'이라고 하죠. 버릴 종이를 모아두는 함이니까 '폐지 수거함'입니다.

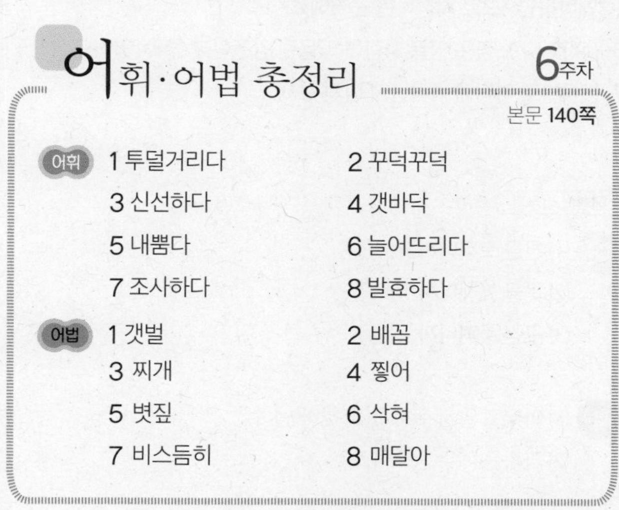
어휘·어법 총정리 6주차

본문 140쪽

어휘
1 투덜거리다 2 꾸덕꾸덕
3 신선하다 4 갯바닥
5 내뿜다 6 늘어뜨리다
7 조사하다 8 발효하다

어법
1 갯벌 2 배꼽
3 찌개 4 찧어
5 볏짚 6 삭혀
7 비스듬히 8 매달아

7주차

31 빨강 두건 아씨께

본문 142쪽

1 ① 느낌, ② 감상문　2 ③　3 ①
4 ④　5 ②　6 ⑤
7 (1) ○　(2) ★　(3) ★　(4) ○　(5) ★　(6) ★

어휘력 키우기

뜻 (1) ㉢　(2) ㉠　(3) ㉡
다지기 (1) 가위질　(2) 바느질　(3) 다림질
넓히기 (1) 발견　(2) 소중

1. 책을 읽고 느낀 점을 적은 글이에요. 이런 글을 '독서 감상문'이라고 하죠. 이 글은 편지 형식으로 쓰였지만 내용은 독서 감상문입니다. 다음과 같이 내용이 이어집니다.

인사와 머리말(편지 형식)
↓
서로 잘난 체 하는 일곱 동무(책 내용)
↓
책을 읽고 떠올린 생각, 느낌, 주장
↓
끝맺는 인사말(편지 형식)

2. '바느질을 도와주는 일곱 동무'라고 했어요.
3. 받는 사람과 그 사람에 대한 인사로 시작하는 글이니, '편지' 형식이지요.
4. 줄거리의 요약이나 사건을 설명한 부분은 책의 내용을 옮긴 것이죠. 특히 '아씨의 일곱 동무인 ~ 잘난체하였어요.' 부분은 서로 자기가 잘났다고 싸운 일곱 동무 이야기를 요약하고 옮긴 것이에요.
5. 앞 문장이 의견이고, 뒷 문장은, 앞문장의 의견을 뒷받침하기 위해 '왜냐하면~'으로 시작하는 근거예요.
6. 생각이나 느낌은 읽은 사람이 떠올린 감동이라 할 수 있어요.
7. 항목별로 어디에 속하는지 따져 보세요.

어휘력 키우기

 (1) 천을 오리니까 '가위질'.
(2) 옷을 꿰매니까 '바느질'.
(3) 구김을 펴니까 '다림질'.

넓히기 (1) 아무도 알지 못한 것을 찾아 냄.
(2) 가족은 매우 중요하죠.

32 좋은 습관을 길러요

본문 146쪽

1 ① 좋은, ② 나쁜　2 습관(버릇)　3 ⑤
4 ①　5 ①　6 ③
7 ① 절약, ② 약속, ③ 운동, ④ 의지

어휘력 키우기

뜻 (1) ㉡　(2) ㉢　(3) ㉠
다지기 (1) 다르다　(2) 나쁘다　(3) 틀리다
넓히기 (1) 속담　(2) 습관

1. 마지막 문단의 한 문장을 주제를 담은 문장으로 삼을 수 있어요. 이 글은 '나쁜 습관을 버리고 좋은 습관을 길러야 한다.'는 내용으로 아래와 같이 짜여 있어요.

습관의 뜻과 힘
↓
게으름뱅이 습관이 낳은 나쁜 일
↓
나쁜 습관들
↓
좋은 습관을 길러야 함

2. 글에 여러 번 나온 낱말을 찾아 보세요.
3. 습관이 나쁜 사람들이 사는 나라에 대한 내용은 보이지 않아요.
① '습관은 무심코 같은 행동을 반복하는 것'이라고 첫 문장에 있네요.
② 게으름뱅이 - 나쁜 습관을 가진 사람
③ 세 살 버릇이 여든까지 간다.
④ '게으름뱅이가 정신을 ~ 도저히 뽑을 수가 없었어요'에 나타나 있어요.
4. '어린 왕자' 이야기는 미루는 습관 때문에 생긴 일을 다루고 있어요.
5. 앞 문장이 '주장', 뒷 문장이 '이유'로 되어 있어요.
6. '할 일은 미루지 않는다'라는 내용을 실천한 사례가 있네요.
7. 글에 나온 순서에 따라 옮겨 쓰면 되어요.

어휘력 키우기

 (1) 시드니와 서울 날씨를 비교해서 서로 같지 않으니까 '다르다'.
(2) 늦게 일어나는 버릇은 좋지 않죠.
(3) 문제를 잘못 풀어 그르게 되었네요.

넓히기 (1) 깨닫도록 하는 말은 '속담'.
(2) 오랫동안 익혀진 못된 행동 방식.

33 내 손으로 그리는 명화

본문 150쪽

1 ④　　2 명화　　3 ⑤　　4 ①

5 ①　　6 (가) → (다) → (나)　　7 (가) → (다) → (나)

어휘력 키우기

뜻 (1) ㉡　　(2) ㉠

다지기 (1) 두껍다　　(2) 두텁다　　(3) 두텁다

넓히기 (1) 색상　　(2) 풍경

1. 붓질하는 방법, 색상의 선택 등은 모두 그림 그리는 방식의 특징에 속합니다.

2. 두 화가의 이름난 작품을 감상한 내용이에요.

(가)의 그림은 19세기의 네덜란드 출신 프랑스 화가 고흐의 것이에요.

(나)의 그림은 20세기 러시아의 화가 칸딘스키의 것입니다.

두 화가가 모두 그 시대를 대표하는 특징을 보여주며, 그런 사실을 그림을 통해 설명했어요.

3. (가)의 끝에서 두 번째 문장에 잘 드러나 있어요. (이런 강렬한 색과 소용돌이치는 듯한 붓질 표현.)

4. 글과 더불어 사진, 그림 등이 있으면 그 글을 이해하기가 훨씬 쉬워져요.

5. (나)에는 '색'이 자주 나타났어요.

첫 문장에 '이 화려한 색상의 ~ 서로 다른 색을 나란히 놓았을 때 드러나는 효과 ~'에 잘 나타나 있어요.

6. 물감을 칠하는 것이 끝 단계가 되어야겠죠.

7. 두껍게 물감을 칠해서 소용돌이와 굽이치는 풍경을 표현하도록 해야 해요.

어휘력 키우기

 (1) 사과 껍질의 두께가 보통 정도보다 크다.

(2) 믿음이 굳고 깊다.

(3) 우애가 굳고 깊다.

넓히기 (1) 화려한 느낌의 '색상'.

(2) 자연이나 지역의 모습이 실감 나는 '풍경'

34 아낌없이 주는 나무

본문 154쪽

1 ⑤　　2 나무　　3 ②　　4 ①

5 사랑, 행복, 슬픔, 즐거움, 기쁨

6 ① 받다, ② 돌아오다, ③ 반복

7 ① 가지, ② 줄기, ③ 밑동

어휘력 키우기

뜻 (1) ㉡　　(2) ㉢　　(3) ㉠

다지기 (1) 줄기　　(2) 밑동　　(3) 가지

넓히기 (1) 소년　　(2) 세월

1. 아무런 대가 없이 베풀기만 하는 사랑이 아름답게 그려진 이야기예요. 아낌없이 자신의 것을 내어주는 나무를 통해 남을 위해 희생하는 삶의 아름다움을 보여줍니다.

소년이 돈이 필요하다고 하자 사과를 준 나무
↓
집을 달라고 한 소년에게 가지를 내어준 나무
↓
배를 달라는 소년에게 줄기를 내어준 나무
↓
소년이 쉬도록 밑동을 내어준 나무

⇨ 아낌 없이 주는 나무의 행복

2. '나무'를 중심으로 이야기가 펼쳐졌어요.

3. 제 몸을 희생하여 사랑을 베풀어요.

4. 행복하다고 말했지만 정말 그런 것은 아니에요. 소년이 떠나버렸기 때문이죠. 이 글은 '소년이 나무로 부터 원하는 것을 얻으면 떠났다가 다시 필요한 것이 있을때 돌아옴'의 반복 구조로 이어져요.

5. 이야기를 읽은 내가 나무의 입장에서 느꼈다고 생각되는 것에 표시를 하면 되어요.

6. 짜임새가 같은 작은 이야기가 반복되어서 한 편의 큰 이야기를 이루어요.

7. 소년이 요구할 때마다 나무는 제 몸의 일부를 떼어 주었어요.

어휘력 키우기

 (1) 고구마가 달려 있는 '줄기'.

(2) 이것만 남기고 모조리 잘랐다. '밑동'.

(3) 벚꽃이 핀 곳은 '가지'.

 (1) 어린 사내 아이.

(2) 흘러가는 '시간'

35 형과 목욕탕 다녀오기

본문 158쪽

1 ⑤　2 목욕탕　3 ④　4 ①
5 ④　6 ②　7 ① 다툼, ② 화해

어휘력 키우기

뜻 (1) ㉡　(2) ㉢　(3) ㉠
다지기 (1) 궁둥이　(2) 윗도리　(3) 엉덩이
넓히기 (1) 전기　(2) 목욕

1. 형과 아우가 목욕탕에 갔다고 집으로 돌아올 때까지 있었던 일을 말했어요.
2. 형과 함께 다녀온 곳은 '목욕탕'이죠.
3. 화자가 남을 잘 이해하고 양보를 잘하는 성격인지를 시를 통해서 알 수 없어요.
4. 시의 처음부터 둘이 서로 다투는 장면이 나와요.
5. 둘이 완전히 어울리고 있다는 뜻이에요. 둘 사이에 '바람'까지 끼어 들어 화해를 거들어요.
6. 목욕탕에 갈 때까지와 목욕탕에 가서 다시 집으로 돌아오면서 있었던 일이 순서대로 펼쳐졌어요.
7. 시의 주제를 다시 간추려 본 거예요. 형과 다퉜는데 목욕탕에서 서로 등을 밀어주며 화해했죠.

어휘력 키우기

 (1) 볼기의 아랫부분만 대고 앉았다.
(2) 걸치는 건 '윗도리'
(3) 볼기짝 전부를 뜻하네요.

넓히기 (1) 찌릿 통하는 건 '전기'
(2) 온몸을 씻는 일.

어휘·어법 총정리 7주차

본문 162쪽

어휘
1 허겁지겁　2 무심코
3 뻗치다　4 진작
5 원색　6 선명하다
7 소용돌이　8 소중하다

어법
1 찌푸렸다　2 꼼꼼히
3 밑동　4 바르다
5 궁리　6 체
7 한 채　8 개켜

8주차

36 검정소와 누렁소

본문 164쪽

1 ①　2 검정소와 누렁소　3 ①
4 ④　5 ②　6 ⑤
7 ① 단점, ② 장점, ③ 칭찬

어휘력 키우기

뜻 (1) ㉡　(2) ㉠
다지기 (1) 본받기　(2) 깨달음
넓히기 (1) 장점　(2) 단점, 칭찬

1. 선생님이 실천하기를 바라는 것은, '남의 단점을 쉽게 말하지 말자.'와 '칭찬하는 말을 자주하자.' 두 가지입니다. 글을 끝맺으면서 첫째, 둘째로 간추려 말했어요. 이 글의 전체 짜임을 참고해 보세요.

들려줄 이야기 소개(검정소와 누렁소)
↓
이야기의 줄거리와 교훈(남의 단점을 함부로 말하지 않기)
↓
선생님의 두 가지 부탁 말씀 (남의 단점 말하지 않기, 칭찬의 말하기)
↓
끝맺음(부탁과 당부)

2. 글의 첫 문장에서 소개하였어요.
3. 소가 자신의 말을 들을까 봐 조심하는 사람이다.
4. 농부가 '자기가 남보다 못하다고 말하는데 좋아할 리가 있겠냐'고 말했죠.
5. '숨은 일을 끄집어내서 드러나게 하는' 모습이네요.
6. 선생님의 두 가지 가르침 중에서 '둘째, 상대방의 장점을 찾아 ~ 서로 존중하면서 사이가 더욱 좋아질 것입니다.'에 서로 칭찬해주면 서로 존중하게 되어 사이도 좋아진다고 했어요.
7. 글의 마지막 문장을 다시 요약했어요.

어휘력 키우기

 (1) 그대로 따라하기.
(2) 생각하고 궁리하여 알게 됨.

 (1) 남보다 앞서서 일하는 것은 '장점'이죠.
(2) '단점'을 말하기보다 '칭찬'을 말해야 잘 어울릴 수 있죠.

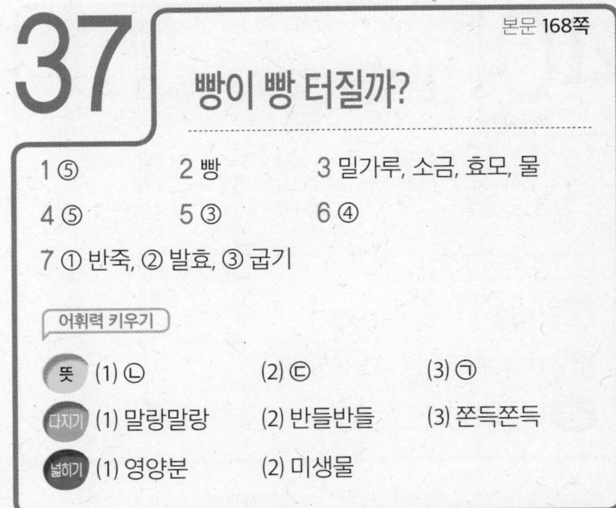

37 빵이 빵 터질까?

본문 168쪽

1 ⑤　2 빵　3 밀가루, 소금, 효모, 물
4 ⑤　5 ③　6 ④
7 ① 반죽, ② 발효, ③ 굽기

어휘력 키우기

뜻 (1) ㉡　(2) ㉢　(3) ㉠
다지기 (1) 말랑말랑　(2) 반들반들　(3) 쫀득쫀득
넓히기 (1) 영양분　(2) 미생물

1. 빵을 어떤 순서로 만드는지를 설명했어요.

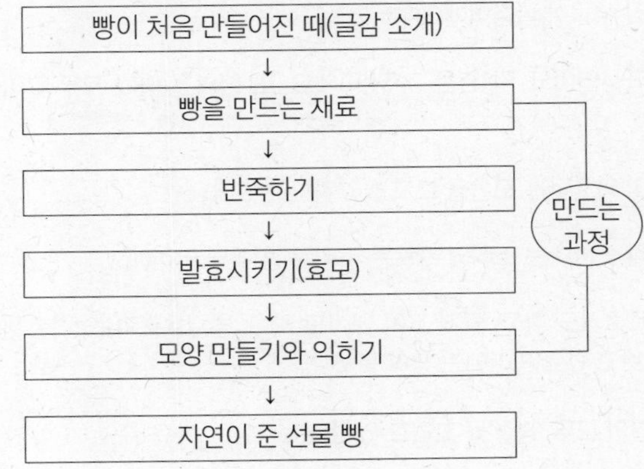

2. 제일 많이 나온 낱말이 '빵'이에요.

3. 꼭 들어가야 하는 것만 네 가지 들어봐요. 글에 직접 나와요.

4. '효모'는 공기 중이나 과일에도 있다고 글에 나와요.

5. 우유는 발효 식품이 아니고 이것을 발효시키면 요구르트가 되어요.

6. 사진, 그림 등은 보이지 않아요.
①, ③ '김치, 된장, 요구르트 …'로 발효음식을 예를 들고 있으며, 발효음식의 종류로 묶어서 설명하고 있어요.
②앞 부분의 '어느 날, 이집트의 한 아주머니가 ~'에 빵이 처음 만들어진 때를 이야기로 꾸몄어요.
⑤ 빵을 만드는 순서에 따라 펼치고 있어요.

7. 빈칸의 앞과 뒤를 견주어가면서 빵 만드는 순서를 정리해 봐요.

어휘력 키우기

다지기 (1) 보드랍고 무른 느낌
(2) '빛이 난다'와 어울리게
(3) 끈기 있고 쫄깃쫄깃하게 씹는 맛이 아주 좋다.

넓히기 (1) 살아가기 위해 꼭 필요한 성분인 '영양분'
(2) '미생물'이 더러운 물을 깨끗하게 만들기도 해요.

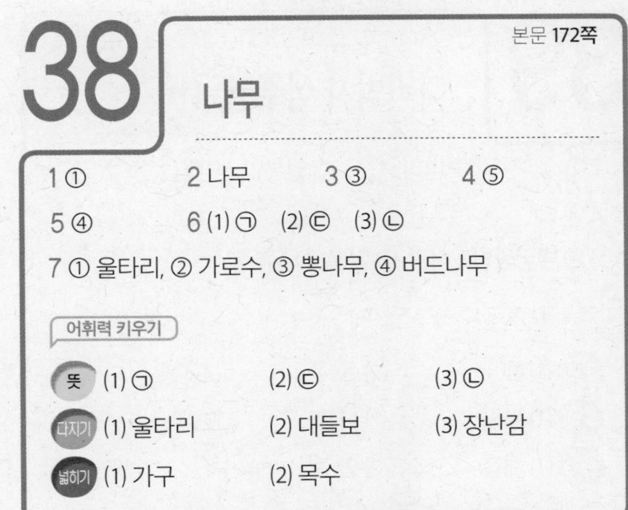

38 나무

본문 172쪽

1 ①　2 나무　3 ③　4 ⑤
5 ④　6 (1) ㉠　(2) ㉢　(3) ㉡
7 ① 울타리, ② 가로수, ③ 뽕나무, ④ 버드나무

어휘력 키우기

뜻 (1) ㉠　(2) ㉢　(3) ㉡
다지기 (1) 울타리　(2) 대들보　(3) 장난감
넓히기 (1) 가구　(2) 목수

1. 나무의 특성을 이용하여 물건 만들기, 나무의 크기나 모양과 특성에 따른 쓰임새, 나무의 열매로 잼 만들기 등 줄곧 다루어진 내용은 나무의 특성과 쓰임새예요.

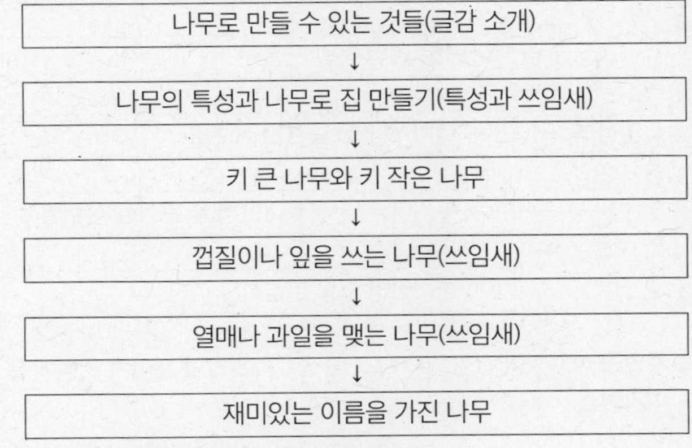

⇨ 나무의 특성과 여러가지 모습(쓰임)

2. 글에서 가장 많이 나타난 낱말이죠.

3. 나무는 무르고 부드러워서 다루기가 쉽고 갖가지 모양으로 쉽게 깎을 수 있다고 했어요.

4. '오리나무'는 있어도, '이정표나무'는 없어요.

5. 이해하기 어려운 내용으로 보이더라도 이해하려고 노력해야 해요. 그냥 지나쳐서는 읽기의 힘이 커지지 않아요.

6. (1) 겪은 일이나 알고 있는 내용 - 나무로 만든 집에서 잔 적
(2) 새로 알게 된 내용 - 꽃이나 열매 등의 모양을 보고
(3) 알고 싶거나 궁금하였던 내용 - 가장 작은 나무는 얼마나 작을까?

7. 넷째, 다섯째 문단의 내용이에요.

어휘력 키우기

다지기 (1) 집 둘레에 탱자나무를 심어 경계를 지어 막았어요.
(2) 기둥 사이에 올리는 큰 들보.
(3) 아이들이 가지고 노는 물건들이 널려 있었다.

넓히기 (1) 집안 살림에 쓰는 기구.
(2) 집을 짓거나, 가구를 만드는 사람.

39 나비박사 석주명

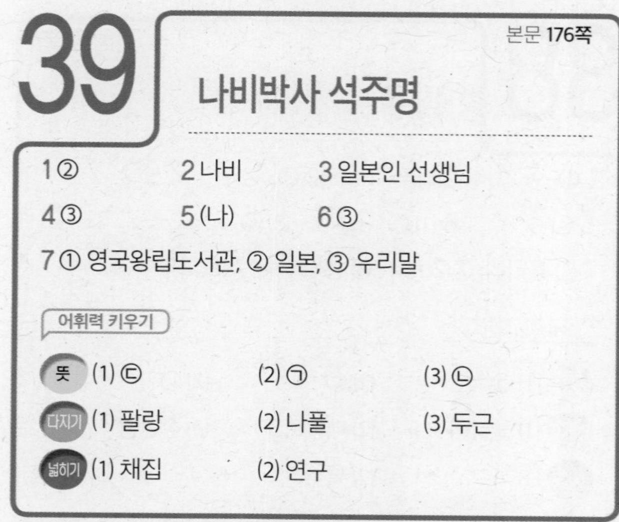
본문 176쪽

1 ② 2 나비 3 일본인 선생님
4 ③ 5 (나) 6 ③
7 ① 영국왕립도서관, ② 일본, ③ 우리말

어휘력 키우기

뜻 (1) ⓒ (2) ㉠ (3) ㉡
다지기 (1) 팔랑 (2) 나풀 (3) 두근
넓히기 (1) 채집 (2) 연구

1. 누구라도 하기 어려운 생각이나 행동을 보여준다면 읽는 사람에게 가르침과 감동을 주게 될 것입니다.

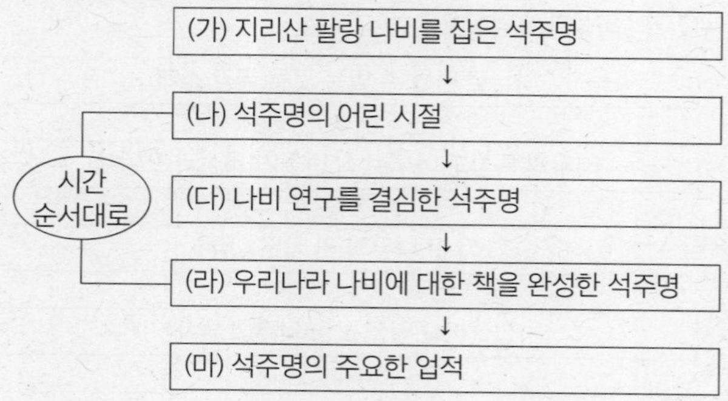

2. 주인공 석주명이 관심을 가지고 연구에 매달렸던 분야가 제목에 들어가야죠.

3. 일본인 선생님의 말을 듣고, 나비 연구를 결심했어요. (다)에 나타나 있어요.

4. 석주명이 마음속으로 혼자 하는 말이에요.

5. (가)~(마) 중, 석주명의 어린 시절을 말한 것이 가장 처음이 되겠죠.

6. 일본어로 되어 있던 우리나라 나비의 이름을 우리말로 바로 잡았습니다. → 나라를 사랑하는 마음.

7. 4문단과 5문단의 내용을 간추려 보세요.

어휘력 키우기

다지기 (1) 나비가 자꾸 날아다니는 모습은 '팔랑거리다'
(2) 얇은 종이가 바람에 날리어 가볍게 자꾸 움직이는 모습은 '나풀거리다'
(3) 몹시 놀라거나 불안하여 가슴이 자꾸 뛰는 것은 '두근거리다'

넓히기 (1) 동식물의 표본을 캐거나 잡아 모으는 일은 '채집하다'
(2) 어떤 일을 깊이 있게 조사하는 일은 '연구'를 해야 업적을 이루죠.

40 산 샘물

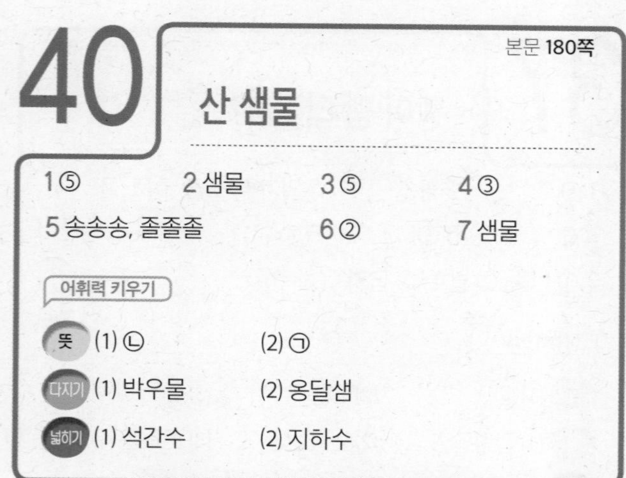
본문 180쪽

1 ⑤ 2 샘물 3 ⑤ 4 ③
5 송송송, 졸졸졸 6 ② 7 샘물

어휘력 키우기

뜻 (1) ㉡ (2) ㉠
다지기 (1) 박우물 (2) 옹달샘
넓히기 (1) 석간수 (2) 지하수

1. 시를 통해 바위 틈새 속에서 흘러나와 샘에 고였다가 넘쳐흐르는 샘물이 그려졌어요.

2. 그려진 샘물이 글감이에요.

3. 전체가 4연이고, 각 연은 2행씩이에요. 또 행의 길이가 모두 같아요.

4. 샘물의 아름다운 모습을 보고 놀라워하고 있어요.

5. 샘물이 솟아나는 소리와 흐르는 소리를 흉내 낸 말이에요.

6. 솟아오르기도 하고, 맑게 고여 있기도 하고, 넘쳐흐르기도 하는 샘물을 보고 있으면 어떤 느낌이 들까요?

7. 4개 연이 모두 '샘물'을 그리고 있어요.

어휘력 키우기

다지기 (1) 바가지를 가지고 가라고 했으니 '박우물'
(2) 산 속에서 토끼가 물을 마시는 작고 오목한 '옹달샘'

넓히기 (1) 산골짜기의 돌틈에서 흘러내리는 물이니까 '석간수'
(2) 땅속 깊은 곳에서 퍼올린 물은 '지하수'

어휘·어법 총정리 8주차

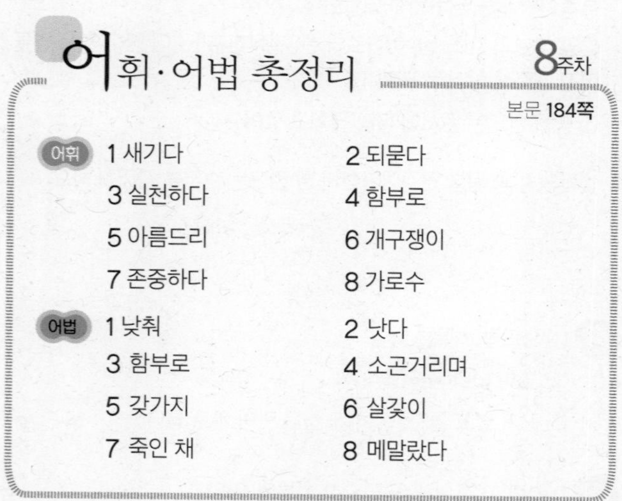
본문 184쪽

어휘 1 새기다 2 되묻다
3 실천하다 4 함부로
5 아름드리 6 개구쟁이
7 존중하다 8 가로수

어법 1 낮춰 2 낫다
3 함부로 4 소곤거리며
5 갖가지 6 살갗이
7 죽인 채 8 메말랐다

영역	회/주차	1번 (주제찾기)	2번 (제목(글감)찾기)	3번 (사실이해)	4번 (미루어알기)	5번 (세부내용)	6번 (적용하기)	7번 (요약하기)
산문 문학 ( ) /56개	1/04							
	2/09							
	3/14							
	4/19							
	5/24							
	6/29							
	7/34							
	8/39							
	소계	( )/8개	( )/8개	( )/8개	( )/8개	( )/8개	( )/8개	( )/8개
운문 문학 ( ) /56개	1/05							
	2/10							
	3/15							
	4/20							
	5/25							
	6/30							
	7/35							
	8/40							
	소계	( )/8개	( )/8개	( )/8개	( )/8개	( )/8개	( )/8개	( )/8개
총계		( )/40개	( )/40개	( )/40개	( )/40개	( )/40개	( )/40개	( )/40개

※ 이 책의 모든 문항과 유형은 동일 번호(1번→주제찾기, 2번→제목(글감)찾기, 3번→사실이해, 4번→미루어알기, 5번→세부내용, 6번→적용하기, 7번→요약하기)로 통일되어 있습니다.

※ 이 표가 완성되면 자신의 취약 영역과 취약 유형이 한눈에 파악됩니다.

※ 취약 유형은 '문제 유형별 7가지 독해 비법(본책 4-5쪽)'을 다시 한번 숙지하고 다음 단계로 넘어가길 바랍니다.